高老师歌谣学汉

Rhymes & Rhythm

For learning Chinese

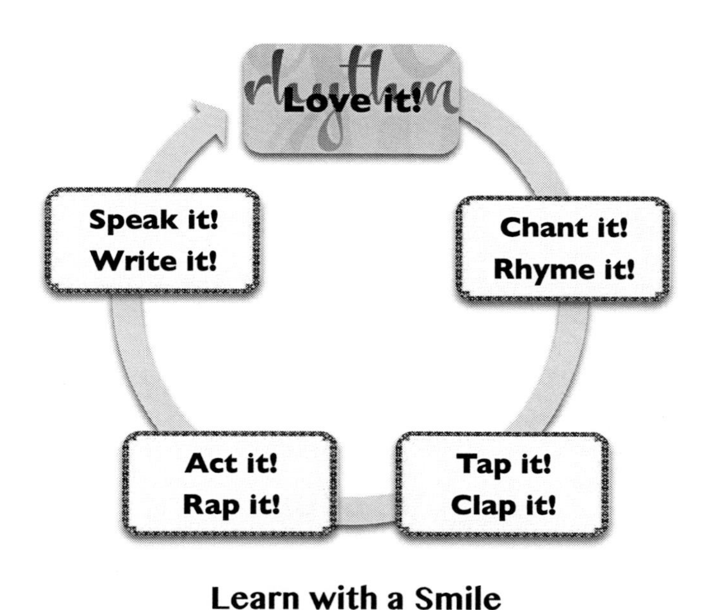

Learn with a Smile

Jian Gao

Illustrated by Eric Keto

Published by Simply Excellent Chinese

www.chineewithease

Illustration: Eric Keto

English Editor: Robert Gaynor

ISBN 978-1-940031-20-0

Printed in the United States of America

ACKNOWLEDGEMENTS

Thank you to all the students I was fortunate to work with at Belmont Hill School of Massachusetts. You are full of wonder, insight and imaginations. You are my sources of inspiration.

Table of Contents

A. Warm-ups

B. Greetings & More

C. Basics

D. Numbers

E. Body

F. Family

G. School

H. Animals

I. Food & Drinks

J. Time & Date

K. Seasons

音韵留声 润物无声

不管童年离我们有多遥远，我们的记忆中一定存有几首张口即来的歌谣。近十多年来，为了让我的学生一接触汉语就爱上汉语，为了把古老的“歌谣效应”巧妙地运用在汉语教学中，我为学生写了二百多首教学歌谣。每次教学生一个话题，我都会把核心词跟日常话编成一首歌谣或说唱给他们，以此引趣激情，帮助他们储存巩固并拓展已学到的知识内容。每当我看到学生兴致勃勃地去学去念去说去背诵去表演这些歌谣说唱时，我知道他们很快就能把所学内容内化成自己的语言。

Rhymes & Rhythm for Learning Chinese 汇集了我的一百多首精选教学歌谣。第一册和第二册的内容以教会话为主，话题包括：热身歌谣，问候，道谢，数字，身体，家庭，职业，学校，运动，动物，饮食，就餐，星期，时间，季节，气候，感觉，疾病，购物，交通，地点，衣物，颜色，方向，户外活动等等。第三册的内容有：语法点，中国文化精华，节庆，短剧，快板，数来宝等。

字不离词，词不离句，句不离段是一条教授汉语的正路，而我的这些韵律歌谣和会话正是路上的一块块踏石，让学生踩着去感受汉语抑扬顿挫的美音，探究汉字源远流长的文化底蕴。我们教的是日常会话，具体点说就是教学生把音发得准确，把话说得明白，教他们学会运用一些常用词和日常用语，引导他们了解中国文化。因此，我们不必一上来就把汉语教得深奥复杂，非让学生捧着一篇篇长课文去学核心词和日常用语不可。**A simple rhyme saves a lot of time**. 一首教学歌谣，一个说唱，有节有韵，清新自然，舒缓流畅，好念好记，音韵留声，润物无声。

The 40-Minute Lesson Format That *Really* Works

5 minutes	**Warm-ups** • Vocabulary review • Checking assignments	**Warm-up activities** • Vocab review by using flashcards • Reciting rhymes • Vocab review through drawing • Daily report
5 - 7 minutes	**Presentations** • Go over the new words • Or go over the new grammar • Or go over a new concept • Or anything important	**Ways to present** • By using PPT • By using handouts • By asking questions • By using other ways
5 minutes	**Before practice** • Check students' understanding • Asking students to read after • Four tones and pronunciation	**Ways to help students prepare** • By play the recording • By asking students to translate • By asking students Wh-questions • By asking students to read aloud
2 minutes	**Students practice** • Give students 2 minutes to practice either on their own • Or in small groups	**Students practice** • Small groups always better • They can be in the classroom • Or outside of the classroom • They will be out of their chair
5 minutes	**It's show time!** • Students perform in groups • Students give answers orally • Students write answers down	**Teacher** • Access students' performance • Correct errors when needed • Give instant feedback
2 minutes	**Students practice** • Give students 2 minutes to practice either on their own • Or in small groups	**Students practice** • Small groups always better • They can be in the classroom • Or outside of the classroom • They will be out of their chair
10 minutes	**It's show time!** • Students perform in groups • Students give answers orally • Students write answers down	**Teacher** • Access students' performance • Correct errors when needed Give instant feedback
4 minutes	**End on high note** • End the class with an activity	**Ways to do so** • Vocab review competition • Perform a rhyme • Play a guessing game
2 minutes	**Give out homework** • Give homework before the bell rings	**Teacher** • Make sure to save enough time to explain the requirement of a homework • Never wait till the bell rings

I 剪子，石头，布！

Consider the nursery rhymes you learned as a kid. I bet you can still remember most of them. Rhymes reinforce the idea being communicated and provide a familiar repetitive framework that helps you remember. This is Rock-paper-scissors in Chinese. Have fun!

pāi pāi shǒu
拍 拍 手。

pāi pāi shǒu
拍 拍 手。

dà jiā dōu lái pāi pāi shǒu
大家都来拍拍 手。

shàng shàng xià xià
上 上，下下，

zuǒ zuǒ yòu yòu
左左，右右，

qián qián hòu hòu
前 前，后后，

lǐ lǐ wài wài
里里，外外。

jiǎn zi shí tóu bù
剪子，石头，布！

jiǎn zi shí tóu bù
剪子，石头，布！

jiǎn zi shí tóu bù
剪子，石头，布！

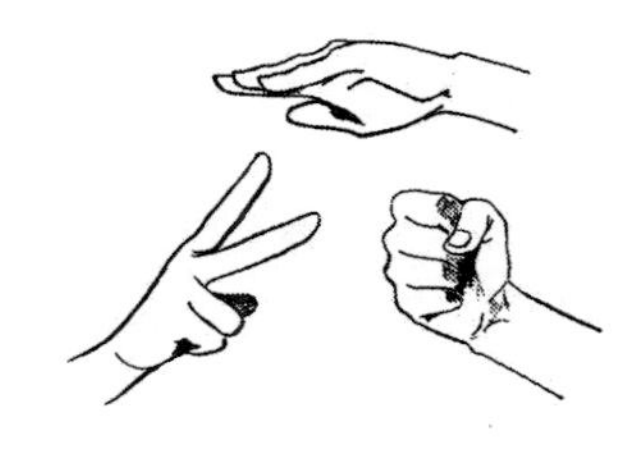

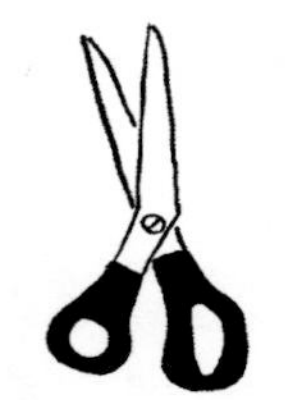

剪子 - scissors
jiǎnzi

石头 - rock
shítou

布 - cloth
bù

Key words

1	拍	pāi	to clap
2	手	shǒu	hand
3	大家	dàjiā	everyone
4	都	dōu	all
5	来	lái	to come
6	上	shàng	up; top
7	下	xià	down; below
8	左	zuǒ	left (side)
9	右	yòu	right (side)
10	前	qián	front; in the front of; before
11	后	hòu	behind; later; after; afterwards
12	里	lǐ	inside
13	外	wài	outside
14	剪子	jiǎnzi	scissors
15	石头	shítou	rock; stone
16	布	bù	cloth

中国 – The Middle Kingdom

中- center and 国- country is the name of China. Thousands of years ago, Chinese people believed that China was the center of the civilized universe: the sun that radiated light and wisdom to the rest of the unknown world.

2 好朋友 Good friends

A Chinese name is written with the family name (surname or last name) first and the given name next. For example, if you were Eric Starr, in Chinese, you would be called Starr Eric. Chinese given names are often made up of one or two characters. Now you can use this rhyme to learn each other's Chinese name. Have fun!

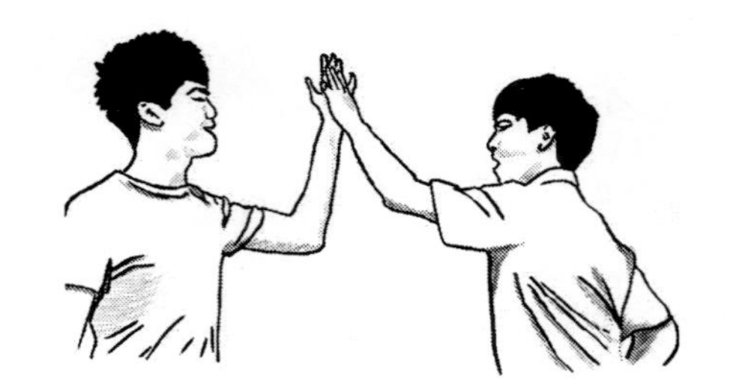

zhǎo péng yǒu zhǎo péng yǒu
找 朋 友，找 朋 友，

shuí hé shuí shì hǎo péng yǒu
谁 和 谁 是 好 朋 友？

zhǎo péng yǒu zhǎo péng yǒu
找 朋 友，找 朋 友，

zhǎo dào tóng xué wò wò shǒu
找 到 同 学 握 握 手。

wò wò shǒu diǎn diǎn tóu
握 握 手，点 点 头，

diǎn diǎn tóu wò wò shǒu
点 点 头，握 握 手，

wǒ men dōu shì hǎo péng yǒu
我 们 都 是 好 朋 友。

Please note:

同学 can be replaced with your classmate's name or his/her Chinese name.

Key words

1	找	zhǎo	to find
2	朋友	péngyou	friend
3	谁	shéi	Who?
4	和	hé	and; with
5	是	shì	To be: am, is, are, was, were
6	好	hǎo	good; well
7	找到	zhǎodào	to have found
8	同学	tóngxué	classmate
9	握手	wòshǒu	to shake hands
10	点	diǎn	to nod (head); to order (food)
11	头	tóu	head
12	我们	wǒmen	we; us
13	们	men	plural marker for personal pronouns

Here is the list of top 10 common Chinese last names.
Can you pronounce them?

1.	李	Lǐ	6.	杨	Yáng
2.	王	Wáng	7.	黄	Huáng
3.	张	Zhāng	8.	赵	Zhào
4.	刘	Liú	9.	周	Zhōu
5.	陈	Chén	10.	吴	Wú

3 甩一甩！ Shake it about!

I bet you loved the Hokey Pokey song when you were a kid. This is the Chinese version. Have fun with it!

bǎ shén me fàng jìn qù bǎ shén me ná chū lái
把什么放进去？把什么拿出来？

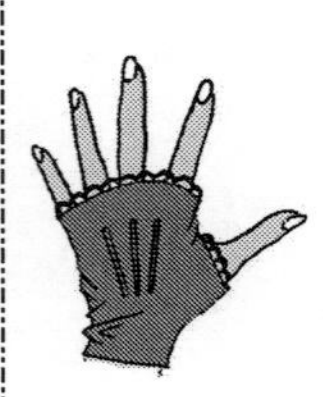

bǎ shén me fàng jìn qù zài lǐ miàn shuǎi yī shuǎi
把什么放进去？在里面甩一甩？

bǎ yòu shǒu fàng jìn qù bǎ yòu shǒu ná chū lái
把右手放进去，把右手拿出来。

bǎ yòu shǒu fàng jìn qù zài lǐ miàn shuǎi yī shuǎi
把右手放进去，在里面甩一甩。

bǎ zuǒ shǒu fàng jìn qù bǎ zuǒ shǒu ná chū lái
把左手放进去，把左手拿出来，

bǎ zuǒ shǒu fàng jìn qù zài lǐ miàn shuǎi yī shuǎi
把左手放进去，在里面甩一甩。

bǎ shǒu jī fàng jìn qù bǎ shǒu jī ná chū lái
把手机放进去，把手机拿出来。

bǎ shǒu jī fàng jìn qù zài lǐ miàn shuǎi yī shuǎi
把手机放进去，在里面甩一甩。

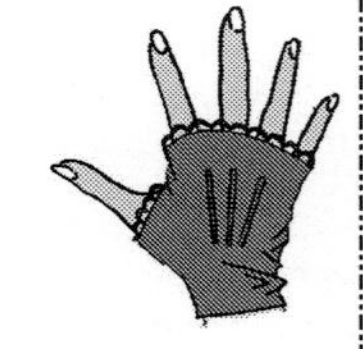

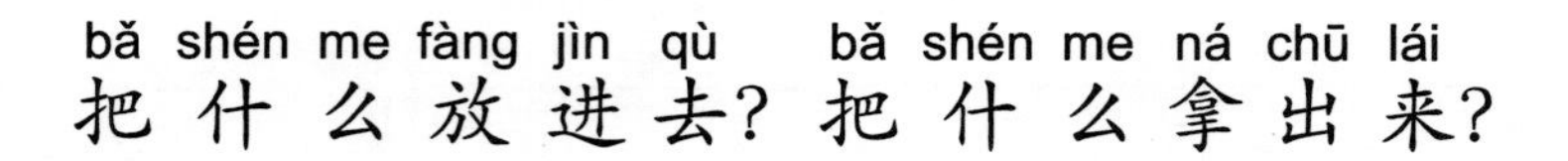

bǎ shén me fàng jìn qù bǎ shén me ná chū lái
把什么放进去？把什么拿出来？

bǎ shén me fàng jìn qù zài lǐ miàn shuǎi yī shuǎi
把什么放进去？在里面甩一甩？

Please note:

手机 can be replaced with any objects.

Key words

1	把	bǎ	a particle marking the following noun as a direct object
2	什么	shénme	What?
3	放	fàng	to put
4	进去	jìnqù	to go in; in
5	拿	ná	to take; to hold
6	出来	chūlái	to get out; out
7	在	zài	to be located at; at; in; on
8	里面	lǐmiàn	inside
9	甩	shuǎi	to shake
10	一	yī	one
11	手机	shǒujī	cell phone
12	橡皮	xiàngpí	eraser
13	本子	běnzi	notebook
14	尺子	chǐzi	ruler
15	课本	kèběn	textbook
16	笔刀	bǐdāo	pencil sharpener
17	书包	shūbāo	book-bag
18	铅笔	qiānbǐ	pencil
19	墨镜	mòjìng	sunglasses

4 课间活动 Activities during recess

What do you love most about recess?

I bet it is the fresh air and your favorite activities!

jī máo jiàn zhēn měi lì
鸡毛毽，真美丽，

dà rén hái zi dōu ài tī
大人孩子都爱踢。

yòu jiǎo tī zuǒ jiǎo tī
右脚踢，左脚踢，

yī èr sān sì wǔ liù qī
一二三四五六七。

liǎng tiáo shéng liǎng rén yáo
两条绳，两人摇，

yáo shàng yáo xià tiào tiào tiào
摇上摇下，跳跳跳！

dān jiǎo tiào tiào tiào tiào
单脚跳，跳跳跳！

shuāng jiǎo tiào tiào tiào tiào
双脚跳，跳跳跳！

zuǒ jiǎo yòu jiǎo huàn zhe tiào
左脚右脚换着跳。

wǒ tiào jìn nǐ tiào chū
我跳进，你跳出，

tiào jìn tiào chū hǎo rè nao
跳进跳出好热闹！

Key words

1	课间	kèjiān	recess
2	活动	huódòng	activity
3	鸡	jī	chicken
4	毛	máo	hair (animals); feather (birds, etc.)
5	毽子	jiànzi	hacky sack
6	美丽	měilì	beautiful
7	大人	dàrén	adult
8	孩子	háizi	child; children
9	爱	ài	to love
10	踢	tī	to kick
11	绳	chéng	rope
12	摇	yáo	to shake
13	单	dān	single
14	跳	tiào	to jump
15	换	huàn	to change; to switch
16	进	jìn	to come in
17	出	chū	out
18	热闹	rènao	lively
19	跳绳	tiàoshéng	to jump rope

5 你好！ Hello!

People will smile at your attempts to speak their language regardless of what you're trying to say. So, when you meet someone Chinese, feel free to start your conversation by saying 你好！

nǐ hǎo nín hǎo nǐ men hǎo
你好！您好！你们好！

nǐ hǎo nín hǎo nǐ men hǎo
你好！您好！你们好！

tóng xué men hǎo lǎo shī hǎo
同学们好！老师好！

tóng xué men zǎo lǎo shī zǎo
同学们早！老师早！

tóng xué men zài jiàn lǎo shī zài jiàn
同学们再见！老师再见！

nǐ hǎo nín hǎo nǐ men hǎo
你好！您好！你们好！

nǐ hǎo nín hǎo nǐ men hǎo
你好！您好！你们好！

老师 - teacher

同学 - classmates

学生 xuéshēng / student

Key words

1	同学	tóngxué	classmates
2	们	men	used after a personal pronoun to show plural form
3	好	hǎo	good; well
4	老师	lǎoshī	teacher
5	早	zǎo	Morning! early
6	再	zài	again
7	见	jiàn	to meet; to see
8	再见。	zàijiàn	Goodbye!
9	你	nǐ	you
10	你好！	nǐ hǎo!	Hello! Hi!
11	您	nín	you (polite form)
12	早上	zǎoshàng	early morning
13	学生	xuéshēng	student

Other common greetings and possible answers

1	晚安。	wǎn ān.	Good night.
2	你好吗？	nǐ hǎo ma?	How are you?
3	我很好。	wǒ hěn hǎo.	I am very well.
4	不错。	bú cuò.	Not bad.
5	马马虎虎。	mǎmahūhū.	So-so.

6 再见！ Goodbye!

nǐ hǎo nǐ hǎo
你 好！你 好！

zǎo shàng hǎo zǎo
早 上 好。早。

nǐ hǎo nín hǎo
你 好！您 好！

zǎo shàng hǎo zǎo
早 上 好。早。

zǎo shàng hǎo zǎo
早 上 好。早。

zǎo shàng hǎo zǎo
早 上 好。早。

zài jiàn zài jiàn
再 见！再 见！

zǎo shàng hǎo zǎo
早 上 好。早。

nǐ hǎo nín hǎo zài jiàn zài jiàn
你 好！您 好！再 见！再 见！

zǎo shàng hǎo zǎo
早 上 好。早。

早！

Key words

1	你	nǐ	you
2	好	hǎo	good
3	你好！	nǐ hǎo!	Hello! Hi!
4	早上	zǎoshàng	early morning
5	早	zǎo	Morning! early
6	您	nín	you (polite form)
7	再	zài	again
8	见	jiàn	to meet; to see
9	再见！	zàijiàn	Goodbye!

Other common greetings and possible answers

1	晚安。	wǎn ān.	Good night.
2	你好吗？	nǐ hǎo ma?	How are you?
3	我很好。	wǒ hěn hǎo.	I am very well.
4	不错。	bú cuò.	Not bad.
5	马马虎虎。	mǎmahūhū.	So-so.
6	还可以。	hái kěyi.	Ok.
7	还行。	hái xíng.	Ok.

7 你好吗? How are you?

When two acquainted people greet each other, instead of saying 你好! , the initiator might ask "你怎么样?" which is "How are you?". The other person may then reply "我很好，谢谢。", which means "I am fine, thank you." Practice saying this greeting dialogue with your classmates and your teacher, and be sure to have fun.

nǐ hǎo ma
你 好 吗?

wǒ hěn hǎo nǐ zěn me yàng
我 很 好。你 怎 么 样?

yě hěn hǎo
也 很 好。

nǐ hǎo ma
你 好 吗?

bú cuò nǐ ne
不 错，你 呢?

mǎ mǎ hū hū
马 马 虎 虎。

wèi shén me
为 什 么?

wǒ bù zhī dào
我 不 知 道。

wèi shén me
为 什 么?

wǒ fēi cháng lèi
我 非 常 累，

wǒ xiǎng shuì jiào
我 想 睡 觉。

Key words

1	吗	ma	used at the end of a statement to transform it into a question
2	我	wǒ	I; me
3	很	hěn	very
4	怎么样?	zěnmeyàng	How about…?
5	也	yě	also
6	不错。	búcuò	Not bad.
7	呢	ne	used after a noun to make an elliptical question
8	你呢?	nǐ ne?	And you?
9	马马虎虎	mămăhūhū	So-so.
10	为什么?	wèishénme	Why?
11	知道	zhīdào	to know
12	非常	fēicháng	very; extremely
13	累	lèi	tired
14	想	xiăng	to think; to want; to miss
15	睡觉	shuìjiào	to sleep
16	晚安。	wăn ān	Good night.
17	明天见。	míngtiān jiàn	See (you) tomorrow.
18	还好。	hái hăo.	Not bad.
19	一会儿见。	yíhuìr jiàn	See (you) later.

8 谢谢！ Thanks!

Chinese people are very accommodating and will often go out of their way to make you feel comfortable, and provide assistance. Let's get you prepared for showing your appreciation and gratitude! By using the basic magic words and expressions, you will warm the hearts of those that have done you a favor.

xiè xiè nǐ
谢谢你。

bié kè qi
别客气。

duì bù qǐ
对不起。

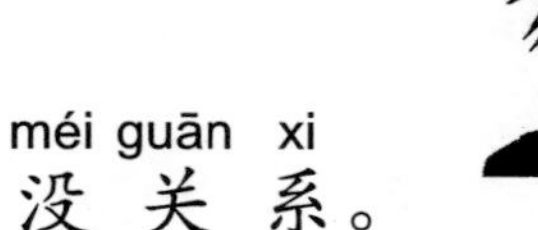

méi guān xi
没关系。

lǎo shī lǎo shī xiè xiè nǐ
老师，老师，谢谢你！

bié kè qì bié kè qì bié kè qì
别客气。别客气。别客气。

lǎo shī lǎo shī duì bù qǐ
老师，老师，对不起。

méi guān xi méi guān xi méi guān xi
没关系。没关系。没关系。

lǎo shī lǎo shī xiè xiè nǐ
老师，老师，谢谢你。

qǐng nǐ bú yào tài kè qì
请你不要太客气。

Key words

1	谢谢	xièxie	Thanks!
2	别	bié	do not
3	客气	kèqì	polite
4	别客气。	bié kèqì	You needn't be polite.
5	对不起。	duìbùqǐ	I am sorry. Sorry.
6	没	méi	no
7	关系	guānxi	matter; relation; connection
8	没关系。	méi guānxi	It doesn't matter.
9	请	qǐng	please
10	不	bù or bú	not
11	要	yào	to want; should; must
12	太	tài	too
13	哪里。	nǎli.	Well, It is nothing. (polite way to reply to any complimentary remarks)

Traditionally, the Chinese people do not like to show a high opinion of their own merits, instead they are always modest about their achievements. When you praise a Chinese person, he/she may humbly tell you how deficient he/she is. Therefore, the reply is "哪里，哪里。(nǎli, nǎli)" to any complimentary remarks, instead of "谢谢"。Nowadays some people, especially young and educated Chinese, like to follow the Western way and thank admirers for their compliments.

9 我你他 I - You - He

Personal pronouns are important in all languages, since they are used as stand-ins for nouns. Think of how awkward your sentences would sound without pronouns.

Chinese has a single pronunciation - tā for "he", "she", and "it". The only way to determine what is intended is by the context (or in writing).

他 is for male or used in the plural form with mixed genders. 她 is for females, and

它 is for animals or objects.

wǒ nǐ tā wǒ nǐ tā
我你他，我你她，

tā tā tā tā tā tā tā
他，他，她，她，它，它，它，

wǒ jìng nǐ nǐ jìng tā
我敬你，你敬他，

nán nǚ lǎo shào dōu ài tā
男女老少都爱它。

wǒ men nǐ men tā men tā
我们，你们，他们，它。

wǒ men nǐ men tā men tā
我们，你们，她们，它。

wǒ de jiā nǐ de jiā
我的家，你的家，

dì qiú shì dà jiā de jiā
地球是大家的家。

Key words

1	他	tā	he; him
2	她	tā	she; her
3	它	tā	it
4	敬	jìng	to respect
5	男	nán	male (used as an adjective)
6	女	nǚ	female (used as an adjective)
7	老	lǎo	old
8	少	shào	young
9	都	dōu	all
10	爱	ài	to love
11	我们	wǒmen	we; us
12	你们	nǐmen	you (plural)
13	他们	tāmen	they; them
14	她们	tāmen	they (all female)
15	我的	wǒde	my; mine
16	家	jiā	home; family
17	地球	dìqiú	Earth
18	是	shì	To be: am, are, is, was, were
19	人	rén	person; people

10 名字 Name

Getting to know new classmates can be very exciting! What kinds of questions do you ask when meeting someone for the first time? It is natural to start a conversation by asking each other's name. A Chinese name is written with the family name (surname or last name) first and the given name next. For example, if you were Eric Starr, in Chinese, you would be called Starr Eric. Chinese given names are often made up of one or two characters.

qǐng wèn nǐ xìng shén me
请问，你姓什么？

wǒ xìng lǐ
我姓李。

nǐ jiào shén me míng zì
你叫什么名字？

wǒ jiào lǐ měi lì
我叫李美丽。

nǐ jīn nián duō dà
你今年多大？

wǒ jīn nián shí qī
我今年十七。

nǐ zhù zài nǎ er
你住在哪儿？

wǒ zhù zài bā lí
我住在巴黎。

nǐ shàng jǐ nián jí
你上几年级？

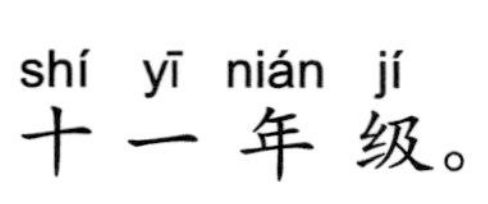

shí yī nián jí
十一年级。

nǐ shàng nǎ ge xué xiào
你上哪个学校？

Belmont Academy.

Key words

1	请问	qǐngwèn	May I ask…; 问 – to ask
2	姓	xìng	surname (used as a verb in Chinese)
3	叫	jiào	to be called; to call
4	什么	shénme	What?
5	名字	míngzi	name
6	美丽	měilì	beautiful; pretty
7	今年	jīnnián	this year
8	多大	duōdà	How old? (for age older than 10)
9	住	zhù	to live
10	在	zài	at; in; on
11	哪儿	nǎr	Where?
12	巴黎	Bālí	Paris
13	上	shàng	to attend (school); to get on (bus, etc.)
14	年级	niánjí	grade
15	哪	nǎ / něi	Which?
16	学校	xuéxiào	school
17	小学	xiǎoxué	elementary school
18	中学	zhōngxué	junior high or high school
19	大学	dàxué	college; university

11 自我介绍 Self-introduction

First impressions are important and are difficult to change. Before you introduce yourself, please address the other person first. After you've said your greeting, you may say your name.

lǎo shī hǎo dà jiā hǎo
老师好！大家好！

wǒ xìng zhāng jiào zhāng zǎo
我姓张，叫张早。

wǒ shí wǔ suì wǒ xǐ huān xué xiào
我十五岁，我喜欢学校。

lǎo shī hǎo tóng xué men hǎo
老师好！同学们好！

wǒ xìng wáng jiào wáng xiào
我姓王，叫王校。

wǒ shí liù suì wǒ xǐ huān xióng māo
我十六岁，我喜欢熊猫。

dà jiā hǎo
大家好！

wǒ xìng lǐ jiào lǐ táo
我姓李，叫李桃。

wǒ xǐ huān shuì jiào bù xǐ huān qǐ zǎo
我喜欢睡觉，不喜欢起早。

Key words

1	自己	zìjǐ	oneself
2	介绍	jièshào	to introduce; introduction
3	喜欢	xǐhuān	to like
4	姓	xìng	family name (used as a verb)
5	叫	jiào	to be called
6	岁	suì	years of age
7	学校	xuéxiào	school
8	同学	tóngxué	classmate
9	熊猫	xióngmāo	panda
10	睡觉	shuìjiào	to sleep
11	起	qǐ	to raise
12	早	zǎo	early
13	张	Zhāng	Chinese surname
14	王	Wáng	Chinese surname
15	李	Lǐ	Chinese surname
16	赵	Zhào	Chinese surname
17	刘	Liú	Chinese surname
18	高	Gāo	Chinese surname
19	孙	Sūn	Chinese surname

12 我喜欢运动 I like sports

Now it is your turn to introduce yourself in Chinese. Tell us about yourself, and what you like to do.

xīn xué nián xīn xué xiào xīn jiào shì xīn shū bāo
新学年，新学校，新教室，新书包。

nǐ shì shuí tā shì shuí cè suǒ zài nǎ er
你是谁？她是谁？厕所在哪儿？

wǒ wèn shuí
我问谁？

nǐ hǎo wǒ shì lǐ chāo
你好！我是李超。

nǐ hǎo wǒ shì wáng jiāo
你好！我是王娇。

nǐ xǐ huan shén me yùn dòng
你喜欢什么运动？

lán qiú
篮球，

wǎng qiú hé pīng pāng qiú
网球和乒乓球。

nǐ ne
你呢？

qí chē yóu yǒng hé cháng pǎo
骑车游泳和长跑。

hěn gāo xìng rèn shi nǐ
很高兴认识你。

wǒ yě hěn gāo xìng rèn shi nǐ
我也很高兴认识你。

Key words

1	喜欢	xǐhuān	to like
2	运动	yùndòng	sports
3	新	xīn	new
4	学年	xuénián	school year
5	教室	jiàoshì	classroom
6	书包	shūbāo	book-bag
7	谁	shéi	Who?
8	厕所	cèsuǒ	rest-room
9	打	dǎ	to play (ball sports); to hit
10	篮球	lánqiú	basketball
11	网球	wǎngqiú	tennis; tennis ball
12	和	hé	and; with
13	乒乓球	pīngpāngqiú	table tennis; table tennis ball
14	骑车	qíchē	to ride a bike
15	游泳	yóuyǒng	to swim; swimming
16	长跑	chángpǎo	long run
17	高兴	gāoxìng	happy
18	认识	rènshi	to meet; to get acquainted with
19	踢足球	tī zúqiú	to play (kick) soccer

13 运动 Sports

It is important to be able to to express our likes or dislikes in Chinese. The following rhyme will teach you how. Have fun!

lì lì xǐ huān qí chē bù xǐ huān zǒu lù
丽丽喜欢骑车，不喜欢走路。

tā xǐ huān yóu yǒng bù xǐ huān pǎo bù
她喜欢游泳，不喜欢跑步。

xiǎo míng xǐ huān tī qiú bù xǐ huān wǔ shù
小明喜欢踢球，不喜欢武术。

tā xǐ huān huá xuě bù xǐ huān pá shù
他喜欢滑雪，不喜欢爬树。

gāo péng xǐ huān shuāi jiāo yě xǐ huān zǒu lù
高朋喜欢摔跤，也喜欢走路。

tā cháng liàn xí jǔ zhòng yě cháng qù pǎo bù
他常练习举重，也常去跑步。

Key words

1	喜欢	xǐhuān	to like
2	骑车	qíchē	to ride (a bike, motorcycle, etc.)
3	走路	zǒulù	to walk; by way of walking
4	游泳	yóuyǒng	swim
5	跑步	pǎobù	to run
6	踢球	tīqiú	to play soccer; to kick a ball
7	武术	wǔshù	martial art
8	滑雪	huáxuě	to ski
9	爬树	páshù	to climb a tree
10	摔交	shuāijiāo	to wrestle
11	常	cháng	often
12	练习	liànxí	to practice
13	举重	jǔzhòng	weight lifting
14	露营	lùyíng	to camp out
15	远足	yuǎnzú	to hike; hiking
16	冲浪	chōnglàng	to surf
17	跳高	tiàogāo	high jump
18	跳远	tiàoyuǎn	long jump
19	田径	tiánjìng	track and field

14 帮个忙 Do me a favor, please.

Asking for help is a good thing to do. When asking for help the correct way, you will show how smart you are.

dà bái mǎ dà bái mǎ
大白马，大白马，

qǐng nǐ bāng gè máng
请你帮个忙。

nǐ kě bù kě yǐ tuó zhe wǒ
你可不可以驮着我，

qù gōng yuán de yóu lè chǎng
去公园的游乐场。

xiǎo dì di xiǎo mèi mèi
小弟弟，小妹妹，

wǒ yuàn yì bāng nǐ máng
我愿意帮你忙。

yào shì gěi wǒ xiān cǎo chī
要是给我鲜草吃，

wǒ dài nǐ qù yóu lè chǎng
我带你去游乐场。

xiè xiè nǐ dà bái mǎ
谢谢你，大白马，

duō xiè nǐ bāng máng
多谢你帮忙。

wǒ xiàn zài jiù qù ná xiān cǎo
我现在就去拿鲜草，

wǒ men qù yóu lè chǎng
我们去游乐场！

Key words

1	大	dà	big
2	白	bái	white
3	马	mă	horse
4	请	qĭng	please
5	帮忙	bāngmáng	to help
6	可以	kěyi	can; OK.
7	驮	tuó	to carry (on one's back)
8	去	qù	to go
9	公园	gōngyuán	park
10	游乐场	yóulèchăng	amusement park
11	愿意	yuànyì	to be willing to
12	要是	yàoshi	if
13	给	gěi	to give; to; for
14	鲜草	xiān căo	fresh grass
15	吃	chī	to eat
16	带	dài	to bring
17	劳驾	láojià	Excuse me.
18	没问题。	méi wèntí	Not a problem.
19	可以。	kěyi	Yes. Of course.

15 这是谁的？ Whose is this?

Asking a question in Chinese is as easy as ABC, though it might be a bit confusing at first. In Chinese, a Wh-question word goes exactly where the answer goes.

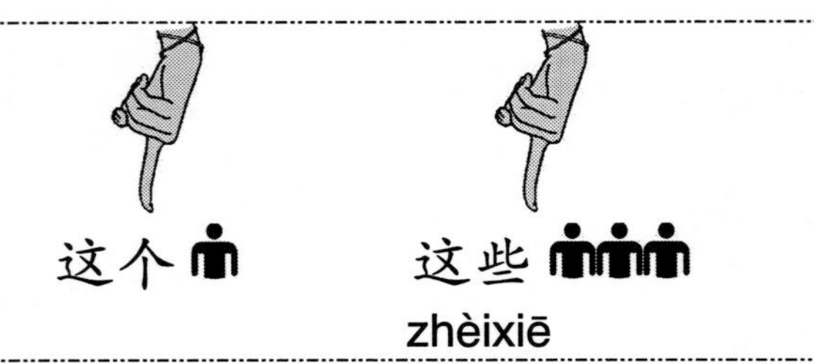

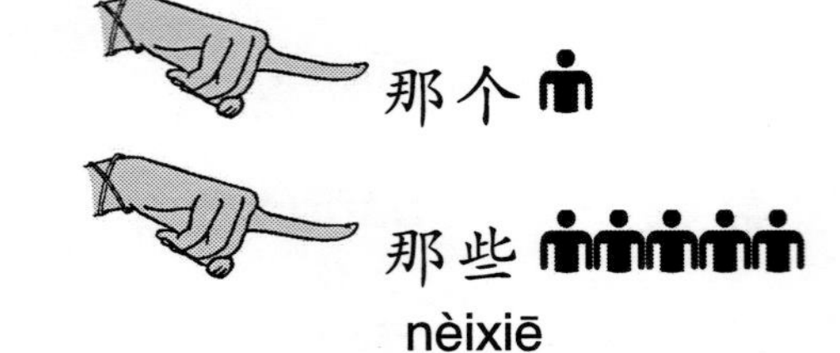

zhèi shì shuí de diàn nǎo
这 是 谁 的 电 脑？

zhèi shì shuí de qián bāo
这 是 谁 的 钱 包？

nà shì wǒ de diàn nǎo
那 是 我 的 电 脑，

nà shì wǒ de qián bāo
那 是 我 的 钱 包。

wǒ de mò jìng zài nǎ er
我 的 墨 镜 在 哪 儿？

wǒ de jí tā zài nǎ er
我 的 吉 他 在 哪 儿？

nǐ de mò jìng zài zhè er
你 的 墨 镜 在 这 儿。

nǐ de jí tā zài nà er
你 的 吉 他 在 那 儿。

这儿 — here

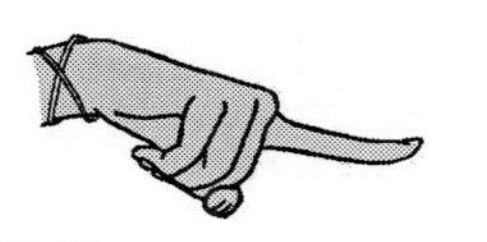

那儿 — over there

Key words

1	这	zhè / zhèi	this
2	谁的	shéide	whose
3	电脑	diànnăo	computer
4	那	nà / nèi	that
5	钱包	qiánbāo	wallet; purse
6	墨镜	mòjìng	sunglasses
7	在	zài	at; in; on; to be located at
8	哪儿	năr	Where?
9	吉他	jítā	guitar
10	这儿	zhèr	here
11	那儿	nàr	over there
12	这些	zhèxiē / zhèixiē	these
13	那些	nàxiē / nèixiē	those
14	哪些	năxiē	which of these…?
15	一些	yìxiē	some
16	有些	yŏuxiē	some
17	些	xiē	measure word for a number of ….
18	手机	shŏujī	cell phone
19	计算器	jìsuànqì	calculator

16 我会说汉语 I can speak Chinese

What's your nationality? Where are you from? What language do you speak? Do you want to see the world? How do you say your country's name in Chinese?

nǐ shì nǎ guó rén nǐ yào qù nǎ li
你是哪国人？你要去哪里？

nǐ men cóng nǎ er lái huì shuō shá wài yǔ
你们从哪儿来？会说啥外语？

wǒ shì zhōng guó rén yào qù xià wēi yí
我是中国人，要去夏威夷。

wǒ cóng běi jīng lái wǒ huì shuō yīng yǔ
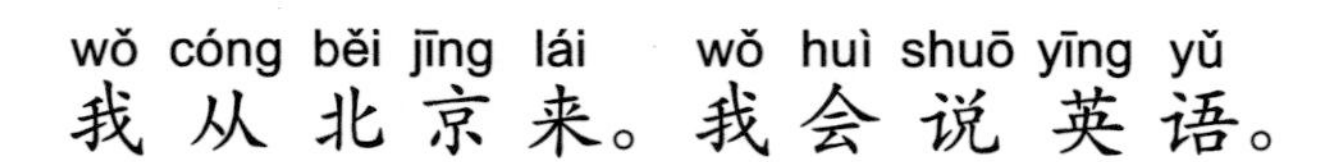
我从北京来。我会说英语。

wǒ shì měi guó rén wǒ yào qù shǎn xī
我是美国人。我要去陕西。

wǒ cóng niǔ yuē lái wǒ huì shuō hàn yǔ
我从纽约来。我会说汉语。

wǒ shì rì běn rén wǒ yào qù běi jí
我是日本人。我要去北极。

wǒ cóng dōng jīng lái wǒ huì shuō dé yǔ
我从东京来。我会说德语。

wǒ shì yīng guó rén wǒ yào qù bā lí
我是英国人。我要去巴黎。

wǒ cóng lún dūn lái wǒ huì shuō fǎ yǔ
我从伦敦来。我会说法语。

Key words

1	从	cóng	from
2	去	qù	to go; to go to (a place)
3	哪里	nălĭ	where? same as 哪儿
4	哪国人	năguórén	What's your nationality?
5	啥	shá	(colloquial way to say) What?
6	外语	wàiyŭ	foreign language
7	中国人	zhōngguórén	Chinese (people)
8	北京	bĕijīng	Beijing
9	英语	yīngyŭ	English
10	美国人	mĕiguórén	American
11	陕西	shănxī	Shanxi province
12	纽约	niŭyuē	New York
13	日本	rìbĕn	Japan
14	北极	bĕijí	North Pole
15	东京	dōngjīng	Tokyo
16	德语	déyŭ	German
17	英国	yīngguó	England
18	伦敦	lúndūn	London
19	法语	făyŭ	French language

17 一二三 123

Arabic numerals are used in mathematics in China. The Chinese numbers are mainly used in writings. This little rhyme, which sets to a hip-hop beat, will help you learn the Chinese numbers 1-10.

			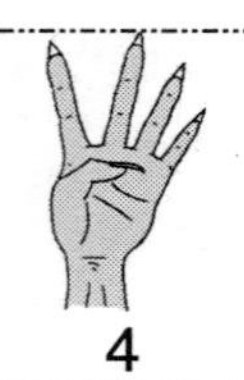	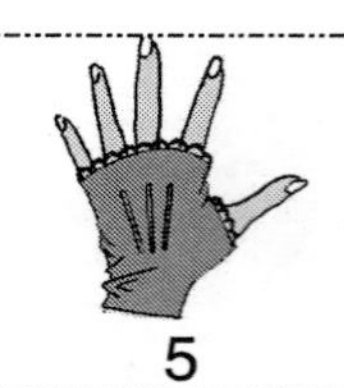
1	2	3	4	5

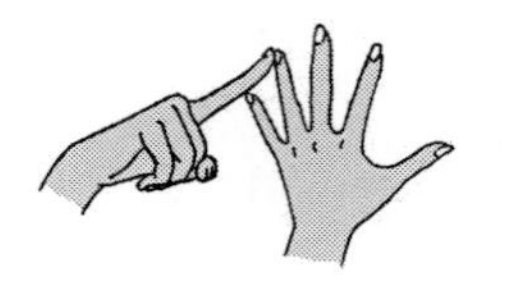

yī èr sān sān èr yī
一二三，三二一。

yī èr sān sì wǔ liù qī
一二三四五六七。

bā běn shū jiǔ zhī bǐ
八本书，九枝笔，

shí gè xué shēng xué hàn yǔ
十个学生学汉语。

jǐ běn shū jǐ zhī bǐ
几本书？几枝笔？

duō shǎo xué shēng xué hàn yǔ
多少学生学汉语？

yī èr sān sì wǔ liù qī
一二三四五六七。

qī liù wǔ sì sān èr yī
七六五四三二一。

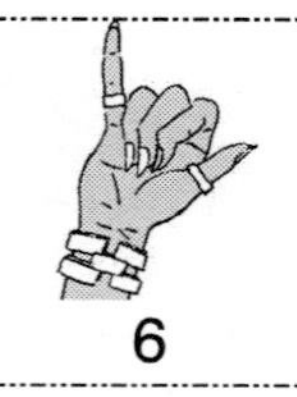	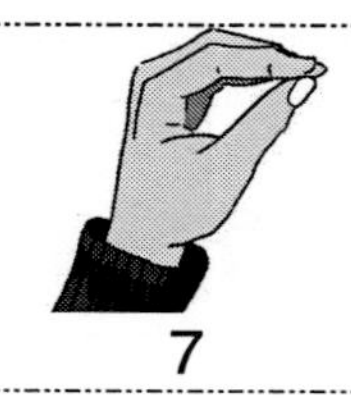			
6	7	8	9	10

Key words

1	一	yī	one
2	二	èr	two
3	三	sān	three
4	四	sì	four
5	五	wǔ	five
6	六	liù	six
7	七	qī	seven
8	八	bā	eight
9	九	jiǔ	nine
10	十	shí	ten
11	本	běn	measure word for book; dictionary; etc.
12	书	shū	book
13	笔	bǐ	pen; pencil
14	个	gè	most commonly used measure word
15	学生	xuéshēng	student
16	学	xué	to study; to learn
17	汉语	hànyǔ	Chinese language
18	几	jǐ	How many? (for number less than 10)
19	多少	duōshǎo	How many? (for numbers more than 10)

18 号码 Number, please.

Numbers are everywhere! Page number, phone number, passport number, room number, price tag, calendar, time, money, food packages, and etc.. How many times do you use numbers in a day?

nǐ de shǒu jī hào mǎ
你的手机号码?

yī èr sān sì wǔ
一二三四五。

nǐ de jià zhào hào mǎ
你的驾照号码?

wǔ sì sān èr yī
五四三二一。

nǐ de fáng jiān hào mǎ
你的房间号码?

yī èr sān sì wǔ
一二三四五。

nǐ de hù zhào hào mǎ
你的护照号码?

wǔ sì sān èr yī
五四三二一。

nǐ de yín háng mì mǎ
你的银行密码?

wǒ bú gào sù nǐ
我不告诉你。

nà shì wèi shén me
那是为什么?

yīn wéi zhè shì mì mì
因为这是秘密。

Key words

1	号码	hàomă	number (phone, passport, room, etc.)
2	你的	nĭde	your; yours
3	手机	shǒujī	cell phone
4	驾照	jiàzhào	driver license
5	护照	hùzhào	passport
6	房间	fángjiān	room
7	银行	yínháng	bank
8	密码	mìmă	secret code
9	不	bù or bú	not
10	告诉	gàosù	to tell
11	那	nà / nèi	that
12	因为	yīnwéi	because
13	这	zhè / zhèi	this
14	秘密	mìmì	secret
15	电话	diànhuà	telephone
16	卡	kă	card
17	学生证	xuéshēng zhèng	student ID
18	信用卡	xìnyòng kă	credit card
19	绿卡	lǜkă	green card

19 数学 Math

+	−	×	÷	=
加 - jiā	减 - jiǎn	乘 - chéng	除 - chú	等于 - děngyú

yī jiā yī děng yú jǐ sān jiǎn yī děng yú jǐ
一加一等于几？三减一等于几？

yī chéng yī děng yú jǐ sān chú yī děng yú jǐ
一乘一等于几？三除一等于几？

líng jiā yī děng yú yī shí jiǎn sān děng yú qī
零加一等于一，十减三等于七。

yī chéng yī děng yú yī qī chú yī děng yú qī
一乘一等于一，七除一等于七。

lǎo shī lǎo shī duì bú duì
老师，老师，对不对？

duì duì duì duì duì duì
对！对！对！ 对！对！对！

jiā jiǎn chéng chú nǐ dōu huì
加减乘除你都会！

yī jiā yī děng yú jǐ sān jiǎn yī děng yú jǐ
一加一等于几？三减一等于几？

yī chéng yī děng yú jǐ sān chú yī děng yú jǐ
一乘一等于几？三除一等于几？

New words

1	数学	shùxué	math
2	加	jiā	to add
3	减	jiǎn	to subtract
4	乘	chéng	to multiply
5	除	chú	to divide
6	等于	děngyú	to equal to (a number)
7	几	jǐ	How many? (for a number less than 10)
8	零 / 0	líng	zero
9	对	duì	correct; right
10	都	dōu	all
11	会	huì	to know how; can; likely

Word Power!

1	百	bǎi	hundred
2	千	qiān	thousand
3	万	wàn	ten thousands
4	数	shǔ	to count
5	数	shù	number
6	数数	shǔshù	to count numbers

20 一是一 One is One

Working classes have traditionally expressed their emotions through folk songs. Melodies and rhythm and are easy to sing and remember. Rhyme it, clap it, rewrite it and act it!

yī yī yī shì yī zǎo shàng qǐ lái liàn quán jī
一，一，一是一：早上起来练拳击。

èr èr èr shì èr lì shǐ kǎo shì dé líng dàn er
二，二，二是二：历史考试得零蛋儿。

sān sān sān shì sān xià kè yǐ hòu qù pá shān
三，三，三是三：下课以后去爬山。

sì sì sì shì sì lǎo shī jiāo wǒ xiě hàn zì
四，四，四是四：老师教我写汉字。

wǔ wǔ wǔ shì wǔ zán men zhōu mò qù tiào wǔ
五，五，五是五：咱们周末去跳舞。

liù liù liù shì liù shàng wǎng liáo tiān méi gè gòu
六，六，六是六：上网聊天没个够。

qī qī qī shì qī zán men bié rě mā shēng qì
七，七，七是七：咱们别惹妈生气。

bā bā bā shì bā péng yǒu sòng wǒ yí shù huā
八，八，八是八：朋友送我一束花。

jiǔ jiǔ jiǔ shì jiǔ jīn wǎn tái shàng bié chū chǒu
九，九，九是九：今晚台上别出丑。

shí shí shí shì shí shuō lái shuō qù shé fā zhí
十，十，十是十：说来说去舌发直。

Key words

1	练	liàn	to practice
2	拳击	quánjī	boxing
3	历史	lìshǐ	history
4	考试	kǎoshì	to take a test
5	得	dé	to get; to receive
6	零蛋	língdàn	a very bad score; zero (on a test)
7	以后	yǐhòu	after; later
8	爬山	páshān	to climb mountain
9	教	jiāo	to teach
10	跳舞	tiàowǔ	to dance
11	聊天	liáotiān	to chat
12	够	gòu	enough
13	惹	rě	to bother; to cause
14	生气	shēngqì	angry
15	送	sòng	to give something as a gift
16	台上	táishàng	on the stage
17	出丑	chūchǒu	humiliating; to be embarrassed
18	舌	shé	tongue
19	发直	fāzhí	straight; tongue twisted

21 脸和身子 Face and body

This rhyme will help you quickly learn the body parts in Chinese. Get out your chair and TPR it!

hóng lǜ huáng lán hēi bái huī
红，绿，黄，蓝，黑，白，灰。

红，绿，黄，蓝，黑，白，灰。

yǎn jīng bí zi zuǐ
眼睛，鼻子，嘴，

yǎn jīng bí zi zuǐ
眼睛，鼻子，嘴。

ěr duo méi máo tóu fà tóu
耳朵，眉毛，头发，头，

yǎn jīng bí zi zuǐ
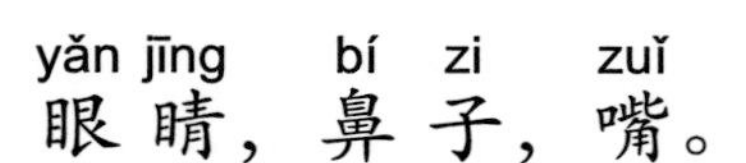
眼睛，鼻子，嘴。

gē bó dù zǐ tuǐ
胳膊，肚子，腿，

gē bó dù zǐ tuǐ
胳膊，肚子，腿。

zuǒ shǒu yòu shǒu zuǒ jiǎo yòu jiǎo
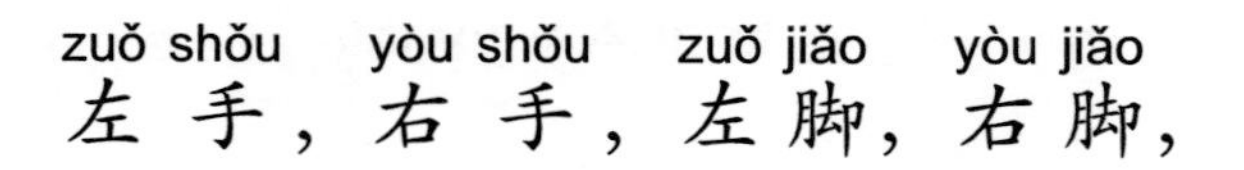
左手，右手，左脚，右脚，

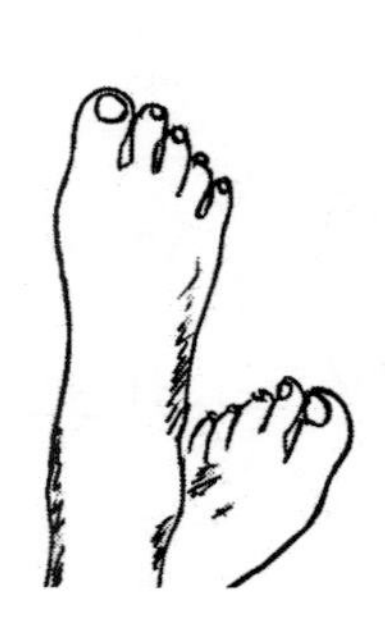

gē bó dù zǐ tuǐ
胳膊，肚子，腿。

hóng lǜ huáng lán hēi bái huī
红，绿，黄，蓝，黑，白，灰。

红，绿，黄，蓝，黑，白，灰。

Key words

1	脸	liǎn	face
2	身子	shēnzi	body
3	眼睛	yǎnjīng	eye; eyes
4	鼻子	bízi	nose
5	嘴	zuǐ	mouth
6	耳朵	ěrduo	ear
7	眉毛	méimáo	eyebrow
8	头发	tóufà	hair on a human's head
9	头	tóu	head
10	胳膊	gēbo	arm
11	肚子	dùzi	stomach
12	腿	tuǐ	leg
13	左	zuǒ	left (side)
14	手	shǒu	hand
15	右	yòu	right (side)
16	脚	jiǎo	foot; feet
17	脖子	bózi	neck
18	腰	yāo	waist
19	屁股	pìgu	butt

22 手 Hands

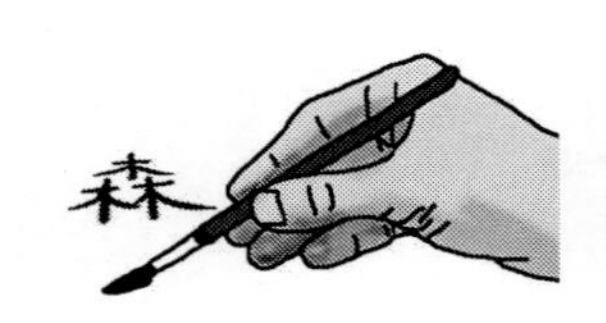

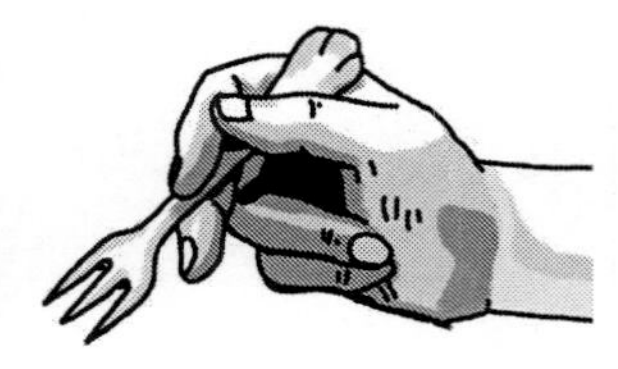

zuǒ shǒu　yòu shǒu　yòu shǒu　zuǒ shǒu
左手，右手，右手，左手。

dà shǒu　xiǎo shǒu　xiǎo shǒu　dà shǒu
大手，小手，小手，大手。

shǒu xiě zì　shǒu huà huà er
手写字，手画画儿。

shǒu tán gāng qín　shǒu ná chā
手弹钢琴，手拿叉。

shǒu zhǐ lù　shǒu shuā yá
手指路，手刷牙，

shǒu dǎ lán qiú　shǒu zhuā yā
手打篮球，手抓鸭。

zuǒ shǒu　yòu shǒu　yòu shǒu　zuǒ shǒu
左手，右手，右手，左手。

dà shǒu　xiǎo shǒu　xiǎo shǒu　dà shǒu
大手，小手，小手，大手。

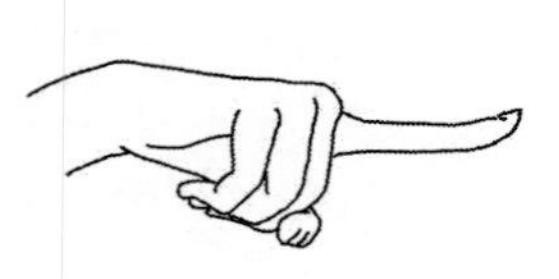

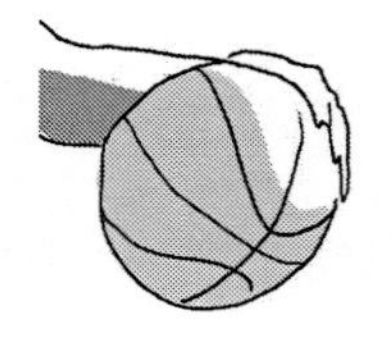
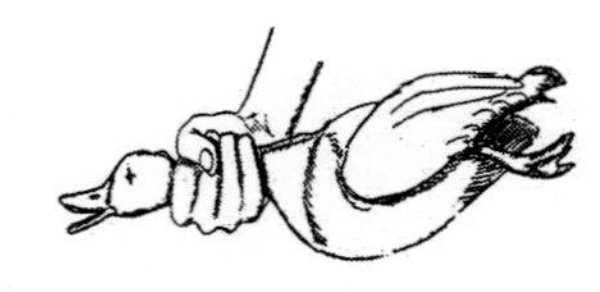

Key words

1	手	shǒu	hand; hands
2	左	zuǒ	left (side)
3	右	yòu	right (side)
4	大	dà	big
5	小	xiǎo	small
6	写	xiě	to write
7	字	zì	word; Chinese characters
8	画	huà	to paint; to draw
9	画儿	huàr	picture; painting
10	弹	tán	to play (musical instrument)
11	钢琴	gāngqín	piano
12	拿	ná	to hold; to take
13	叉	chā	fork
14	指	zhǐ	to point
15	路	lù	road
16	刷牙	shuāyá	to brush teeth
17	打球	dǎqiú	to play ball (basketball, tennis, etc.)
18	抓	zhuā	to catch; to hold
19	鸭	yā	duck

23 脚 Feet

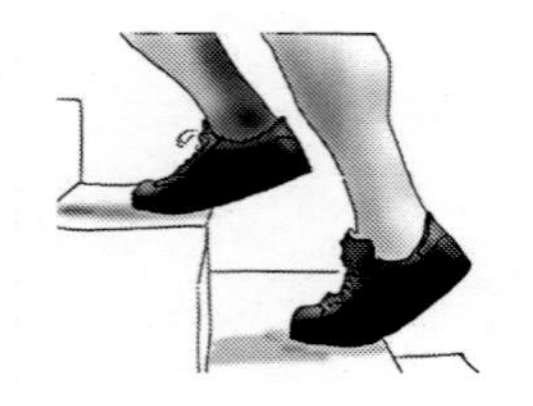

zuǒ jiǎo yòu jiǎo yòu jiǎo zuǒ jiǎo
左脚，右脚，右脚，左脚。

féi jiǎo shòu jiǎo shòu jiǎo féi jiǎo
肥脚，瘦脚，瘦脚，肥脚。

jiǎo shàng lóu jiǎo zǒu lù
脚上楼，脚走路，

jiǎo tī qiú jiǎo pǎo bù
脚踢球，脚跑步。

jiǎo dēng chē jiǎo tiào wǔ
脚蹬车，脚跳舞，

jiǎo chōu jīn er jiǎo shòu kǔ
脚抽筋儿，脚受苦。

zuǒ jiǎo yòu jiǎo yòu jiǎo zuǒ jiǎo
左脚，右脚，右脚，左脚。

féi jiǎo shòu jiǎo shòu jiǎo féi jiǎo
肥脚，瘦脚，瘦脚，肥脚。

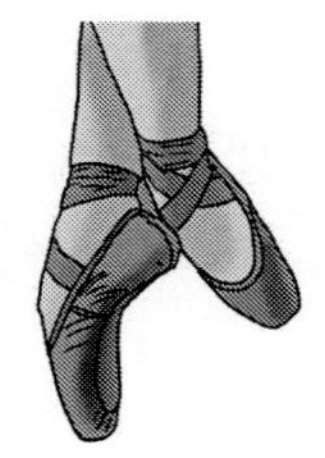
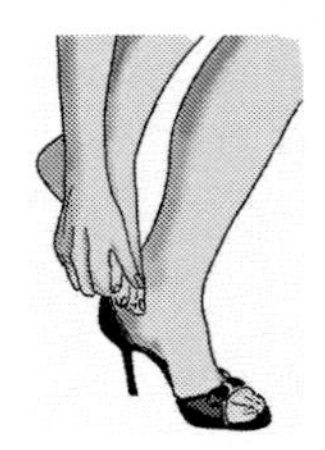
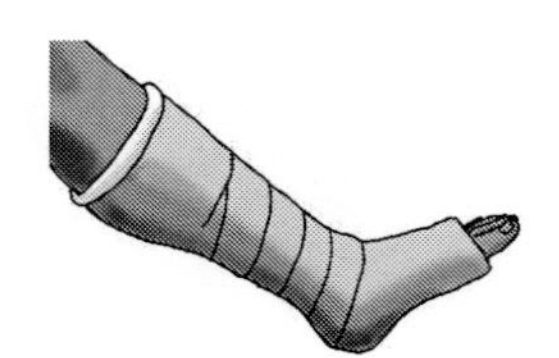

Key words

1	脚	jiǎo	foot; feet
2	左	zuǒ	left (side)
3	右	yòu	right (side)
4	肥	féi	fat
5	瘦	shòu	skinny
6	上楼	shànglóu	to go upstairs
7	走路	zǒulù	to walk
8	踢球	tīqiú	to kick ball; to play soccer
9	跑步	pǎobù	to run
10	蹬车	dēngchē	to pedaling
11	跳舞	tiàowǔ	to dance
12	抽筋	chōujīn	cramp; to pull a tendon
13	受苦	shòukǔ	to suffer
14	胖	pàng	fat
15	跳	tiào	to jump
16	歇脚	xiējiǎo	to take a break
17	跷脚	qiàojiǎo	to raise one's foot
18	臭脚	chòujiǎo	stinky feet
19	国脚	guójiǎo	the best soccer player of a country

24 谁的？ Whose?

This rhyme will teach you how to say the basic colors and some of the most common adjectives in Chinese. You may want to create your own color rhyme.

hóng lǜ huáng lán hēi bái huī
红，绿，黄，蓝，黑，白，灰。

红，绿，黄，蓝，黑，白，灰。

shuí de ěr duo dà shuí de yǎn jīng xiǎo
谁的耳朵大？谁的眼睛小？

shuí de yá chǐ duō shuí zài wèi xiǎo niǎo
谁的牙齿多？谁在喂小鸟？

dà xiàng ěr duo dà shā yú yǎn jīng xiǎo
大象耳朵大，鲨鱼眼睛小。

shī zi yá chǐ duō wǒ zài wèi xiǎo niǎo
狮子牙齿多，我在喂小鸟。

shuí de tóu fà cháng shuí de tóu fà duǎn
谁的头发长？谁的头发短？

shuí de tóu fà zhí shuí de tóu fà juǎn
谁的头发直？谁的头发卷？

gē de tóu fà cháng jiě de tóu fà duǎn
哥的头发长，姐的头发短，

bà de tóu fà zhí mā de tóu fà juǎn
爸的头发直，妈的头发卷。

hóng lǜ huáng lán hēi bái huī
红，绿，黄，蓝，黑，白，灰。

红，绿，黄，蓝，黑，白，灰。

Key words

1	红	hóng	red
2	绿	lǜ	green
3	黄	huáng	yellow
4	蓝	lán	blue
5	黑	hēi	black
6	白	bái	white
7	灰	huī	gray
8	牙齿	yáchǐ	tooth; teeth
9	多	duō	many; much; more
10	少	shǎo	less; few
11	在	zài	progressive tense marker
12	喂	wèi	to feed
13	大象	dàxiàng	elephant
14	鲨鱼	shāyú	shark
15	狮子	shīzi	lion
16	长	cháng	long
17	短	duǎn	short
18	直	zhí	straight
19	卷	juǎn	curly

25 我爱我家 I love my family

Now it is time to talk about your family. Every family is different. Some families are large, and some are small. How many people are there in your family? How many siblings do you have? Does your family have a pet? It is always fun to talk about family, and draw your family tree.

wǒ de jiā hěn dà
我的家很大。

jiā lǐ yǒu bà mā
家里有爸妈。

gē ge jiě jie dì di mèi mei
哥哥，姐姐，弟弟，妹妹，

hái yǒu māo hé yā
还有猫和鸭。

wǒ de jiā hěn dà
我的家很大。

jiā lǐ yǒu bà mā
家里有爸妈。

xiōng dì jiě mèi wǒ dōu yǒu
兄弟姐妹我都有，

wǒ ài wǒ de jiā
我爱我的家。

Key words

1	爱	ài	to love
2	家	jiā	family; home
3	里	lǐ	inside
4	有	yǒu	to have
5	爸爸	bàba	dad
6	妈妈	māma	mom
7	哥哥	gēge	older brother
8	姐姐	jiějie	older sister
9	弟弟	dìdi	younger brother
10	妹妹	mèimei	younger sister
11	还	hái	also; still; in addition to
12	猫	māo	cat
13	鸭	yā	duck
14	兄弟姐妹	xiōngdìjiěmèi	siblings
15	没有	méiyǒu	do not have
16	孩子	háizi	child; kid; children
17	儿子	érzi	son
18	女儿	nǚér	daughter
19	想家	xiǎngjiā	home-sick; miss home

26 你呢? What about you?

Introducing someone and talking about your likes and dislikes in Chinese is easy. Let's start with this rhyme first, practice it, and then create your own.

zhè shì wǒ de jiā zhè shì wǒ bà mā
这是我的家，这是我爸妈。

wǒ yǒu gē ge méi yǒu jiě jie
我有哥哥，没有姐姐，

wǒ xǐ huān yǎng yā nǐ ne
我喜欢养鸭。你呢?

zhè shì wǒ de jiā zhè shì wǒ bà mā
这是我的家，这是我爸妈。

wǒ yǒu jiě jie méi yǒu gē ge
我有姐姐，没有哥哥，

wǒ xǐ huān zhòng huā nǐ ne
我喜欢种花。你呢?

zhè shì wǒ de jiā zhè shì wǒ bà mā
这是我的家，这是我爸妈。

wǒ yǒu gē ge jiě jie dì di mèi mei
我有哥哥姐姐弟弟妹妹，

wǒ xiǎng dāng jǐng chá
我想当警察。

Key words

1	你呢？	nǐ ne	What about you? And you?
2	这	zhè / zhèi	this
3	家	jiā	family; home
4	爸	bà	dad
5	妈	mā	mom
6	有	yǒu	to have
7	哥哥	gēge	older brother
8	没有	méiyǒu	do not have
9	姐姐	jiějie	older sister
10	喜欢	xǐhuān	to like
11	养	yǎng	to raise (animals, family, etc.)
12	鸭	yā	duck
13	种	zhòng	to plant
14	花	huā	flower
15	弟弟	dìdi	younger brother
16	妹妹	mèimei	younger sister
17	想	xiǎng	to think; to want; to miss
18	当	dāng	to work as; to be
19	警察	jǐngchá	police

27 工作 Occupations

We all dream about what we want to do when we grow up. You may want to be a teacher, a builder, a doctor, or a firefighter. Here are a few career dreams to get you started. Please ask your teacher for a special career word you'd like to know. Have fun!

qǐng kàn zhèi zhāng zhào piàn zhèi shì wǒ bà mā
请看这张照片，这是我爸妈。

wǒ bà shì yī shēng wǒ mā shì huà jiā
我爸是医生，我妈是画家，

wǒ xiǎng dāng yǎn yuán nǐ ne
我想当演员。你呢？

qǐng kàn zhèi zhāng zhào piàn zhèi shì wǒ bà mā
请看这张照片，这是我爸妈。

wǒ bà shì diàn gōng wǒ mā shì zuò jiā
我爸是电工，我妈是作家，

wǒ xiǎng dāng chú shī nǐ ne
我想当厨师。你呢？

qǐng kàn zhèi zhāng zhào piàn zhèi shì wǒ bà mā
请看这张照片，这是我爸妈。

wǒ bà shì lǜ shī wǒ mā shì huà jiā
我爸是律师，我妈是画家，

wǒ xiǎng dāng jì zhě yě xiǎng dāng jǐng chá
我想当记者，也想当警察。

Key words

1	做	zuò	to do; to make
2	工作	gōngzuò	job; work; to work
3	这	zhè / zhèi	this
4	张	zhāng	measure word for paper or photo
5	照片	zhàopiàn	photo
6	医生	yīshēng	physician; doctor
7	画家	huàjiā	painter; artist
8	当	dāng	to work as
9	演员	yǎnyuán	actor; actress
10	电工	diàngōng	electrician
11	作家	zuòjiā	writer
12	厨师	chúshī	cook; chef
13	律师	lǜshī	lawyer
14	记者	jìzhě	journalist
15	警察	jǐngchá	police
16	护士	hùshi	nurse
17	理发师	lǐfàshī	barber; hairdresser
18	秘书	mìshū	secretary
19	工程师	gōngchéngshī	engineer

28 颜色 Colors

hóng lǜ huáng lán hēi bái huī
红，绿，黄，蓝，黑，白，灰。

红，绿，黄，蓝，黑，白，灰。

hóng qiān bǐ lǜ qiān bǐ
红铅笔，绿铅笔，

hēi bái xiàng pí huáng qiān bǐ
黑白橡皮，黄铅笔。

huáng qiān bǐ lán qiān bǐ
黄铅笔，蓝铅笔，

hēi bái xiàng pí huī qiān bǐ
黑白橡皮，灰铅笔。

huī qiān bǐ fěn qiān bǐ
灰铅笔，粉铅笔，

hēi bái xiàng pí zǐ qiān bǐ
黑白橡皮紫铅笔。

zǐ qiān bǐ zōng qiān bǐ
紫铅笔，棕铅笔，

hēi bái xiàng pí cū qiān bǐ
黑白橡皮，粗铅笔。

cū qiān bǐ xì qiān bǐ
粗铅笔，细铅笔，

hēi bái xiàng pí qīng qiān bǐ
黑白橡皮，轻铅笔。

hóng lǜ huáng lán hēi bái huī
红，绿，黄，蓝，黑，白，灰。

红，绿，黄，蓝，黑，白，灰。

Key words

1	颜色	yánsè	color
2	红	hóng	red
3	绿	lǜ	green
4	黄	huáng	yellow
5	蓝	lán	blue
6	黑	hēi	black
7	白	bái	white
8	灰	huī	gray
9	铅笔	qiānbǐ	pencil
10	橡皮	xiàngpí	eraser
11	粉	fěn	pink
12	紫	zǐ	purple
13	棕	zōng	brown
14	粗	cū	thick and dark (pencil or pen)
15	细	xì	thin and soft (pencil or pen)
16	轻	qīng	light
17	橙色	chéngsè	orange; orange color
18	深色	shēnsè	dark color; deep (water)
19	浅色	qiǎnsè	light color; shallow (water)

29 铅笔 Pencils

This chant teaches you how to say some school stuff in a classroom. Take everything out of your book-bag, and look around your classroom and see how accurate you can say them in Chinese after learning this chant.

shǒu jī diàn nǎo qiān bǐ
手机，电脑，铅笔。

kè běn běn zi qiān bǐ
课本，本子，铅笔。

bǐ dāo xiàng pí qiān bǐ
笔刀，橡皮，铅笔。

chǐ zi jiǎn zi qiān bǐ
尺子，剪子，铅笔。

hēi bǎn bǎn cā qiān bǐ
黑板，板擦，铅笔。

zhuō zi yǐ zi qiān bǐ
桌子，椅子，铅笔。

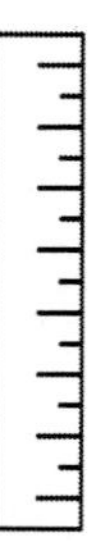

dì tú guà tú qiān bǐ
地图，挂图，铅笔。

lǎo shī xué shēng qiān bǐ
老师，学生，铅笔。

nǐ yǒu jǐ zhī qiān bǐ
你有几枝铅笔?

wǒ yǒu sān zhī qiān bǐ
我有三枝铅笔。

Key words

1	手机	shǒujī	cell phone
2	电脑	diànnǎo	computer
3	铅笔	qiānbǐ	pencil
4	本子	běnzi	notebook
5	课本	kèběn	textbook
6	笔刀	bǐdāo	pencil sharpener
7	橡皮	xiàngpí	eraser
8	尺子	chǐzi	ruler
9	黑板	hēibǎn	blackboard
10	桌子	zhuōzi	table; desk
11	椅子	yǐzi	chair
12	地图	dìtú	map
13	挂图	guàtú	poster
14	老师	lǎoshī	teacher
15	学生	xuéshēng	student
16	有	yǒu	to have
17	没有	méiyǒu	do not have
18	计算器	jìsuànqì	calculator
19	地球仪	dìqiúyí	globe

30 上课啦！ Class starts!

Stand up! Sit down! Take out your books! Take out your pencils! Raise your hand when asking questions! I am sure you've heard your teacher saying all these things! This rhyme will teach you the common classroom expressions.

yī èr líng xiǎng la
一，二，铃 响 啦。

sān sì qǐng zuò xià
三，四，请 坐 下。

wǔ liù ná chū shū
五，六，拿 出 书。

qī bā bié shuō huà
七，八，别 说 话。

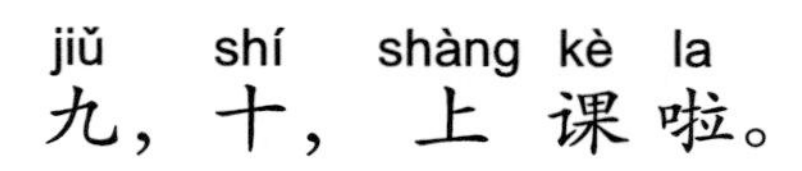

jiǔ shí shàng kè la
九，十，上 课 啦。

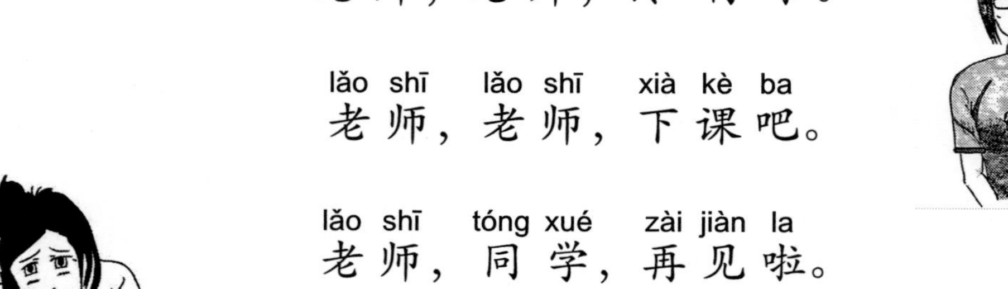

lǎo shī lǎo shī líng xiǎng la
老 师，老 师，铃 响 啦。

lǎo shī lǎo shī xià kè ba
老 师，老 师，下 课 吧。

lǎo shī tóng xué zài jiàn la
老 师，同 学，再 见 啦。

wǒ men huí jiā ba
我 们 回 家 吧！

Key words

1	铃	líng	bell
2	响	xiǎng	to ring (bell)
3	啦	la	A particle used at the end of a sentence to show emphasis.
4	请	qǐng	please
5	坐下	zuòxià	to sit down
6	拿出	náchū	to take out
7	书	shū	book
8	别	bié	do not
9	说话	shuōhuà	to talk; to speak
10	上课	shàngkè	Class starts. to attend a class
11	老师	lǎoshī	teacher
12	下课	xiàkè	Class ends.
13	吧	ba	A particle placed at the end of a sentence to make a polite suggestion.
14	同学	tóngxué	classmate
15	回家	huíjiā	to go home

Chinese characters are known as "Hànzi" in Mandarin. Each Chinese character is pronounced as a single syllable and has its own meanings. Often, each character represents a part of history, an image or idea, or an attitude about life. When learning a new Chinese character, you should look at it to see what picture(s) it contains. Always use your imagination.

31 动物园 Zoo

The animals in a zoo are from different parts of the world. What animals do you enjoy watching at the zoo?

nǎ xiē dòng wù zhù zài
哪 些 动 物 住 在 ZOO?

shī zi dà xiàng hé lǎo hǔ
狮 子 大 象 和 老 虎。

nǎ xiē dòng wù zhù zài
哪 些 动 物 住 在 ZOO?

xióng māo bān mǎ cháng jǐng lù
熊 猫 斑 马 长 颈 鹿。

nǎ xiē dòng wù zhù zài
哪 些 动 物 住 在 ZOO?

hóu zi xī niú hé dài shǔ
猴 子 犀 牛 和 袋 鼠。

nǎ xiē dòng wù zhù zài
哪 些 动 物 住 在 ZOO?

tuó niǎo qǐ é hé
鸵 鸟 企 鹅 和 baboon。

Key words

1	动物园	dòngwùyuán	zoo
2	哪	nǎ / něi	Which?
3	些	xiē	measure word
4	动物	dòngwu	animal
5	住	zhù	to live
6	在	zài	to be located; at; in; on
7	狮子	shīzi	lion
8	大象	dàxiàng	elephant
9	老虎	lǎohǔ	tiger
10	熊猫	xióngmāo	panda
11	班马	bānmǎ	zebra
12	长颈鹿	chángjǐnglù	giraffe
13	猴子	hóuzi	monkey
14	犀牛	xī'niú	rhinoceros
15	袋鼠	dàishǔ	kangaroo
16	企鹅	qǐ'é	penguin
17	鸵鸟	tuóniǎo	ostrich
18	大猩猩	dàxīngxing	baboon
19	宠物	chǒngwù	pet

32 七巧板 Tan-gram

Tangram "seven clever pieces" is an ancient Chinese puzzle game. It consists of seven pieces: two larger triangles, one medium triangle, two small triangles, one square, and one parallelogram. The pieces can be arranged to form countless shapes, animals, people, and everyday projects. Have fun with Tangram!

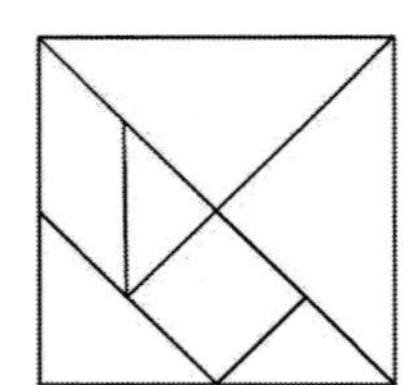

qī qiǎo bǎn zhēn hǎo wán er
七 巧 板，真 好 玩 儿，

yǒu fāng yǒu jiǎo méi yǒu yuán er
有 方 有 角 没 有 圆 儿。

nǐ yí kuài er wǒ yí kuài er
你 一 块 儿，我 一 块 儿，

zán men yì qǐ pīn zhe wán er
咱 们 一 起 拼 着 玩 儿。

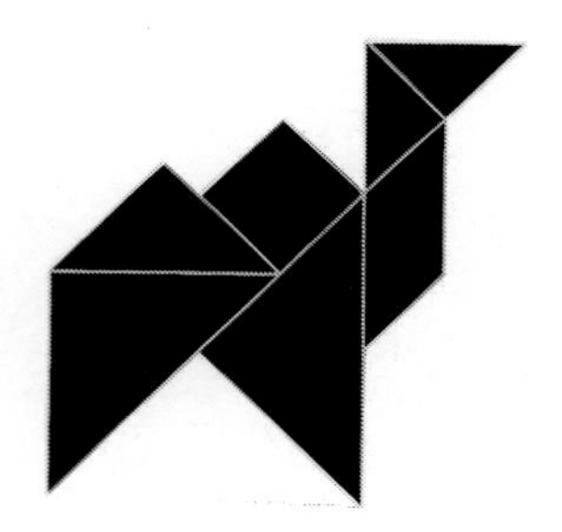

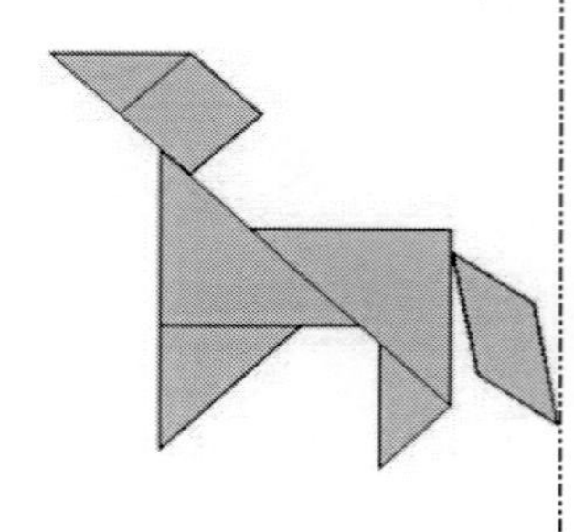

pīn lǎo hǔ pīn shān yáng
拼 老 虎，拼 山 羊，

pīn qǐ é pīn dà xiàng
拼 企 鹅，拼 大 象。

pīn hú lí pīn tuó niǎo
拼 狐 狸，拼 鸵 鸟，

pīn sōng shǔ pīn yě láng
拼 松 鼠，拼 野 狼。

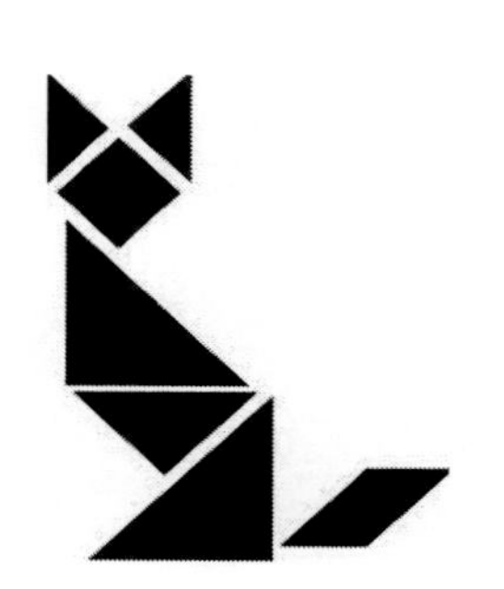

qī qiǎo bǎn zhēn hǎo wán er
七 巧 板，真 好 玩 儿，

yǒu fāng yǒu jiǎo méi yǒu yuán er
有 方 有 角 没 有 圆 儿。

nǐ yí kuài er wǒ yí kuài er
你 一 块 儿，我 一 块 儿，

zán men yì qǐ pīn zhe wán er
咱 们 一 起 拼 着 玩 儿。

Key words

1	七	qī	seven
2	巧	qiǎo	clever
3	板	bǎn	board
4	真	zhēn	very
5	好玩	hǎowán	amusing; fun; interesting
6	方	fāng	square
7	角	jiǎo	angle
8	圆	yuán	circle
9	咱们	zánmen	we; us
10	拼	pīn	to put together
11	老虎	lǎohǔ	tiger
12	山羊	shānyáng	mountain goat
13	企鹅	qǐ'é	penguin
14	大象	dàxiàng	elephant
15	狐狸	húli	fox
16	鸵鸟	tuóniǎo	ostrich
17	松鼠	sōngshǔ	squirrel
18	野	yě	wild
19	狼	láng	wolf

33 宠物和动物 Pets & Animals

You house them, you hug them, you feed them and you love them. After you learn this animal rhyme, you will know how to say them in Chinese. Have fun!

yì tiáo gǒu liǎng tiáo yú
一条狗，两条鱼，

sān pǐ bái mǎ méi rén qí
三匹白马没人骑。

sì zhī jī wǔ zhī yā
四只鸡，五只鸭，

liù zhī xiǎo niǎo jī jī zhā
六只小鸟唧唧喳。

qī zhī yáng bā tóu niú
七只羊，八头牛，

jiǔ zhī qīng wā shuǐ lǐ yóu
九只青蛙水里游。

shí kē shù bǎi duǒ huā
十棵树，百朵花，

qiān kē xīng xing wàn hù jiā
千颗星星，万户家。

Key words

1	宠物	chǒngwù	pet
2	动物	dòngwù	animal
3	狗	gǒu	dog
4	鱼	yú	fish
5	白	bái	white
6	马	mǎ	horse
7	骑	qí	to ride
8	鸡	jī	chicken
9	小	xiǎo	small
10	鸟	niǎo	bird
11	羊	yáng	sheep; goat
12	牛	niú	cow; ox
13	青蛙	qīngwā	frog
14	树	shù	tree
15	百	bǎi	hundred
16	花	huā	flower
17	千	qiān	thousand
18	星星	xīngxing	star
19	万	wàn	ten thousand

34 农场动物 Farm animals

Have you ever visited a farm? A farm gives kids a chance to see and touch farm animals and learn about their lives.

xiǎo nào zhōng dīng líng líng
小 闹 钟 ， 叮 铃 铃 ，

dīng líng dīng líng dīng líng líng
叮 铃 叮 铃 叮 铃 铃 。

qī diǎn le kuài qǐ chuáng
七 点 了 ， 快 起 床 ！

bà mā dài wǒ men qù nóng chǎng
爸 妈 带 我 们 去 农 场 ，

qù kàn nà er de niú hé yáng
去 看 那 儿 的 牛 和 羊 。

nóng chǎng dà nóng chǎng máng
农 场 大 ， 农 场 忙 ，

mǎ zài pǎo é zài jiào
马 在 跑 ， 鹅 在 叫 ，

jī dǎ míng zhū zài xiào
鸡 打 鸣 ， 猪 在 笑 ，

bái māo hēi māo tiǎn zhe zhǎo
白 猫 黑 猫 舔 着 爪 ，

huáng gǒu yáo zhe wěi ba jiào
黄 狗 摇 着 尾 巴 叫 。

niǎo chàng gē lǘ lā chē
鸟 唱 歌 ， 驴 拉 车 ，

yā xià dàn rén dǎ gé
鸭 下 蛋 ， 人 打 嗝 。

Key words

1	农场	nóngchăng	farm
2	牛	niú	ox; cow
3	羊	yáng	sheep; goat
4	忙	máng	busy
5	马	mă	horse
6	鹅	é	goose; geese
7	鸡	jī	chicken
8	打鸣	dămíng	cock-a-doodle-doo
9	猪	zhū	pig
10	笑	xiào	to laugh
11	舔	tiăn	to lick
12	爪	zhăo	claw
13	摇	yáo	to shake
14	尾巴	wěiba	tail
15	叫	jiào	to bark
16	驴	lǘ	donkey
17	拉车	lāchē	to pull a cart
18	下蛋	xiàdàn	to lay egg
19	打嗝	dăgé	to burp

35 嘘！ Be quiet!

xū xū bié chǎo
嘘！嘘！别 吵！

dòng wù zài wán er ne
动物在玩儿呢！

sōng shǔ zài shù xià tiào
松鼠在树下跳，

xióng māo zài shān shàng xiào
熊猫在山上笑，

lù mā mā dài zhe lù bǎo bǎo
鹿妈妈带着鹿宝宝，

chī huā yòu chī cǎo
吃花又吃草。

lǎo hǔ shēn lǎn yāo
老虎伸懒腰，

dà xiàng zài xǐ zǎo
大象在洗澡，

hóu zi pǎo lái yòu pǎo qù
猴子跑来又跑去，

zhuī zhe kāi wán xiào
追着开玩笑。

bān mǎ hé biān zǒu
斑马河边走，

hú li cáng māo mao
狐狸藏猫猫，

xióng shī shuǎi qǐ le dà wěi ba
雄狮甩起了大尾巴，

kàn shuí gǎn hú nào
看谁敢胡闹！

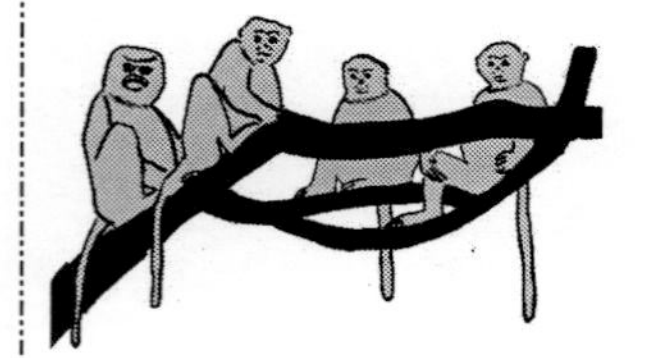

xū xū bié chǎo
嘘！嘘！别 吵！

dòng wù zhèng zài wán er ne
动物正在玩儿呢！

Key words

1	嘘	xū	Hush!
2	松鼠	sōngshǔ	squirrel
3	熊猫	xióngmāo	panda
4	鹿	lù	deer
5	宝宝	bǎobao	baby
6	伸懒腰	shēn lǎnyāo	to stretch oneself
7	大象	dàxiàng	elephant
8	猴子	hóuzi	monkey
9	追	zhuī	to chase
10	开玩笑	kāi wánxiào	to joke; to make fun of
11	班马	bānmǎ	zebra
12	河边	hébiān	by the side of a river
13	狐狸	húli	fox
14	藏猫猫	cáng māomao	hide and seek / peek-a-boo
15	雄狮	xióngshī	male lion
16	甩	shuǎi	to swing
17	尾巴	wěiba	tail
18	敢	gǎn	to dare
19	胡闹	húnào	to cause trouble

36 吃吃喝喝 Food & Drinks

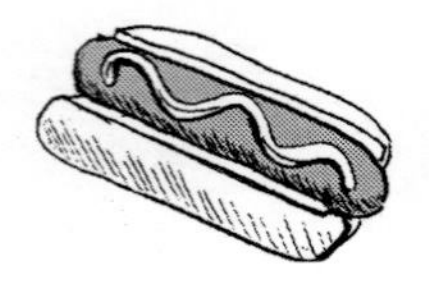    

yī èr yī yī èr yī
一二一，一二一，

rè gǒu bǐ sà hé kǎo jī
热狗比萨和烤鸡。

yī èr yī yī èr yī
一二一，一二一，

hàn bǎo bāo hé sān míng zhì
汉堡包和三明治。

yī èr yī yī èr yī
一二一，一二一，

niú nǎi bīng chá hé guǒ zhī
牛奶冰茶和果汁。

yī èr yī yī èr yī
一二一，一二一，

kě lè qī xǐ hé xuě bì
可乐七喜和雪碧。

yī èr yī yī èr yī
一二一，一二一，

qǐng duō hē qǐng duō chī
请多喝，请多吃，

hái yǒu dàn gāo guǒ dòng hé qiǎo kè lì
还有蛋糕果冻和巧克力。

Key words

1	吃	chī	to eat
2	喝	hē	to drink
3	热狗	règǒu	hot dog
4	比萨	bǐsà	pizza
5	烤	kǎo	to roast
6	烤鸡	kǎojī	roasted chicken
7	汉堡包	hànbǎobāo	hamburger
8	三明治	sānmíngzhì	sandwich
9	牛奶	niúnǎi	milk
10	冰茶	bīngchá	Ice tea
11	果汁	guǒzhī	fruit juice
12	可乐	kělè	Coke
13	七喜	qīxǐ	7-up
14	雪碧	xuěbì	Sprite
15	蛋糕	dàngāo	cake
16	果冻	guǒdòng	jelly
17	巧克力	qiǎokēlì	chocolate
18	水	shuǐ	water
19	咖啡	kāfēi	coffee

37 谁对一？ Who answers me?

Working classes have traditionally expressed their emotions through folk songs. Melodies and rhythm and are easy to sing and remember. Rhyme it, clap it, rewrite it and act it!

wǒ wèn yī shuí duì yī shuí hē niú nǎi hé guǒ zhī
我问一，谁对一？谁喝牛奶和果汁？

nǐ wèn yī wǒ duì yī bà hē niú nǎi hé guǒ zhī
你问一，我对一。爸喝牛奶和果汁。

wǒ wèn èr shuí duì èr shuí chī rè gǒu hé ròu chuàn er
我问二，谁对二？谁吃热狗和肉串儿？

nǐ wèn èr wǒ duì èr mā chī rè gǒu hé ròu chuàn er
你问二，我对二。妈吃热狗和肉串儿。

wǒ wèn sān shuí duì sān shuí mǎi kě lè hé bǐng gān
我问三，谁对三？谁买可乐和饼干？

nǐ wèn sān wǒ duì sān wǒ mǎi kě lè hé bǐng gān
你问三，我对三。我买可乐和饼干。

wǒ wèn sì shuí duì sì shuí yǒu miàn bāo hé sān míng zhì
我问四，谁对四？谁有面包和三明治？

nǐ wèn sì wǒ duì sì gǒu yǒu miàn bāo hé sān míng zhì
你问四，我对四。狗有面包和三明治。

wǒ wèn wǔ shuí duì wǔ shuí xiǎng péi wǒ qù tiào wǔ
我问五，谁对五？谁想陪我去跳舞？

nǐ wèn wǔ wǒ duì wǔ māo xiǎng péi nǐ qù tiào wǔ
你问五，我对五。猫想陪你去跳舞。

Key words

1	问	wèn	to ask
2	对歌	duìgē	to reply back by singing; correct
3	喝	hē	to drink
4	牛奶	niúnǎi	milk
5	果汁	guǒzhī	fruit juice
6	吃	chī	to eat
7	热狗	règǒu	hot dog
8	肉串儿	ròuchuànr	meat kebab
9	买	mǎi	to buy
10	可乐	kělè	Coke
11	饼干	bǐnggān	biscuit; cookies
12	面包	miànbāo	bread
13	三明治	sānmíngzhì	sandwich
14	陪	péi	to accompany
15	去	qù	to go to
16	跳舞	tiàowǔ	to dance
17	茶	chá	tea
18	咖啡	kāfēi	coffee
19	啤酒	píjiǔ	beer

38 红苹果 Red apple

hóng píng guǒ lǜ píng guǒ
红 苹 果，绿 苹 果，

yì shǒu yí gè dà píng guǒ
一 手 一 个 大 苹 果。

hóng de tián lǜ de suān
红 的 甜，绿 的 酸，

hóng hóng lǜ lǜ zhēn hǎo kàn
红 红 绿 绿 真 好 看！

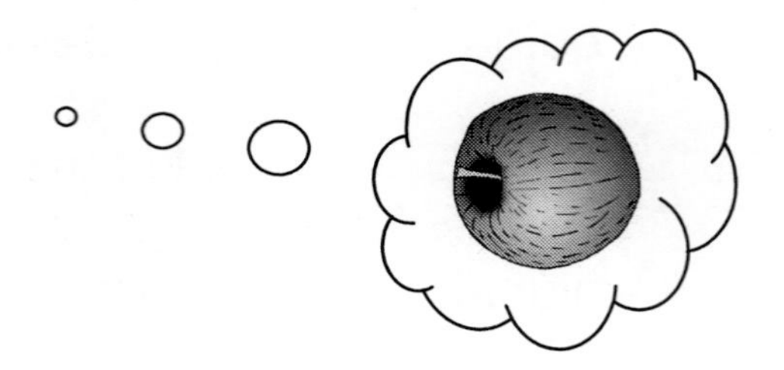

hóng cǎo méi lán cǎo méi
红 草 莓，蓝 草 莓，

yì shǒu yì hé dà cǎo méi
一 手 一 盒 大 草 莓。

cǎo méi dàn gāo cǎo méi jiàng
草 莓 蛋 糕，草 莓 酱，

hái yǒu cǎo méi bàng bàng táng
还 有 草 莓 棒 棒 糖。

zǐ pú táo lǜ pú táo
紫 葡 萄，绿 葡 萄，

yì shǒu yí chuàn dà pú táo
一 手 一 串 大 葡 萄。

nǐ yí chuàn wǒ yí chuàn
你 一 串 ，我 一 串 ，

chī wán le yí chuàn hái xiǎng yào
吃 完 了 一 串 还 想 要。

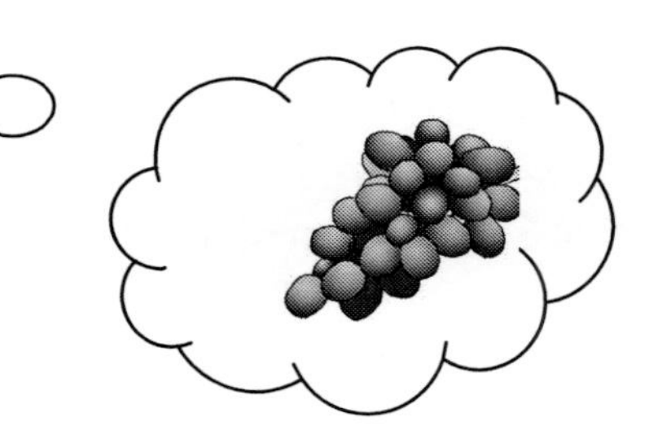

huángníng méng lǜ níng méng
黄 柠 檬 ，绿 柠 檬 。

yì shǒu yí gè dà níng méng
一 手 一 个 大 柠 檬 。

níng méng qì shuǐ níng méng chá
柠 檬 汽 水，柠 檬 茶，

níng méng niú ròu níng méng xiā
柠 檬 牛 肉，柠 檬 虾。

Key words

1	苹果	píngguǒ	apple
2	红	hóng	red
3	绿	lǜ	green
4	甜	tián	sweet
5	酸	suān	sour
6	好看	hǎokàn	good-looking; pretty; handsome
7	草莓	cǎoméi	strawberry
8	蓝	lán	blue
9	蛋糕	dàngāo	cake
10	酱	jiàng	jam
11	棒棒糖	bàngbàng táng	lollipop
12	紫	zǐ	purple
13	葡萄	pútao	grape
14	完	wán	to finish
15	黄	huáng	yellow
16	柠檬	níngméng	lemon
17	汽水	qìshuǐ	soda water
18	茶	chá	tea
19	虾	xiā	shrimp

39 感谢 Be thankful

The most basic pleasures in life are usually accessible to us. Too often, we take them for granted. Always be thankful for what we have.

yī èr sān sì wǔ liù qī
一二三四五六七。

chī yú chī ròu chī huǒ jī
吃鱼吃肉吃火鸡。

qī liù wǔ sì sān èr yī
七六五四三二一。

hē shuǐ hē nǎi hē guǒ zhī
喝水喝奶喝果汁。

yī èr sān sì wǔ liù qī
一二三四五六七。

chī fàn chī cài chī kǎo jī
吃饭吃菜吃烤鸡。

qī liù wǔ sì sān èr yī
七六五四三二一。

hē chá hē tāng hē xuě bì
喝茶喝汤喝雪碧。

yī èr sān sì wǔ liù qī
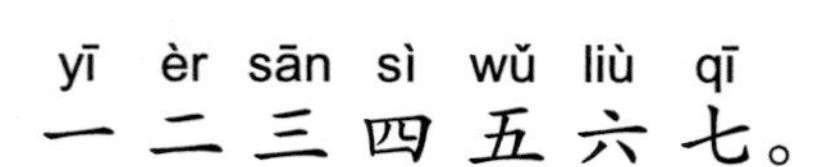
一二三四五六七。

yǒu chī yǒu hē yào gǎn jī
有吃有喝要感激。

qī liù wǔ sì sān èr yī
七六五四三二一。

xiè xiè bà mā xiè shàng dì
谢谢爸妈谢上帝。

Key words

1	吃	chī	to eat
2	鱼	yú	fish
3	肉	ròu	meat
4	火鸡	huǒjī	turkey
5	喝	hē	to drink
6	水	shuǐ	water
7	奶	năi	milk
8	果汁	guǒzhī	juice
9	饭	fàn	food; cooked rice
10	菜	cài	cooked dishes
11	烤鸡	kăojī	roasted chicken
12	汤	tāng	soup
13	茶	chá	tea
14	雪碧	xuěbì	Sprit
15	感激	gănjī	to be grateful
16	感谢	gănxiè	to express thanks
17	上帝	shàngdì	God
18	苹果汁	píngguǒzhī	apple juice
19	橙汁	chéngzhī	orange juice

40 几点了？ What time is it?

As long as you know your numbers, telling time in Chinese is easy. Here is a fun rhyme to help you learn. So, rhyme it, clap it, and rewrite it!

zǎo shàng shàng wǔ zhōng wǔ
早上，上午，中午，

xià wǔ wǎn shàng bàn yè
下午，晚上，半夜。

jīn tiān jǐ yuè jǐ hào jīn tiān xīng qī jǐ
今天几月几号？今天星期几？

xué xiào jǐ diǎn fàng xué wǒ xiǎng wèn wen nǐ
学校几点放学？我想问问你。

jīn tiān sì yuè wǔ hào jīn tiān xīng qī yī
今天四月五号，今天星期一。

liǎng diǎn jiù fàng xué wǒ lái gào sù nǐ
两点就放学，我来告诉你。

xiàn zài jǐ diǎn le wǒ xiǎng wèn wèn nǐ
现在几点了？我想问问你：

jǐ diǎn zuò zuò yè jǐ diǎn qù xiū xi
几点做作业？几点去休息？

xiàn zài yī diǎn le wǒ lái gào sù nǐ
现在一点了，我来告诉你。

qī diǎn zuò zuò yè bàn yè cái qù xiū xi
七点做作业，半夜才去休息。

zǎo shàng shàng wǔ zhōng wǔ
早上，上午，中午，

xià wǔ wǎn shàng bàn yè
下午，晚上，半夜。

Key words

1	上午	shàngwǔ	morning
2	中午	zhōngwǔ	noon
3	下午	xiàwǔ	afternoon
4	晚上	wǎnshàng	evening
5	半夜	bànyè	midnight
6	号	hào	date; number; size
7	点	diǎn	period of time; o'clock
8	放学	fàngxué	School is over.
9	就	jiù	just (indicate an action happened unusually early)
10	告诉	gàosù	to tell; to inform
11	作业	zuòyè	homework assignment
12	休息	xiūxi	to take a break; to rest
13	才	cái	not until (indicate an action happened unusually late)
14	小时	xiǎoshí	hour
15	刻	kè	quarter / 一刻 = 15 minutes 三刻 = 45 minutes
16	分	fēn	minute; points; to divide
17	半	bàn	half
18	差	chà	lack of; to fall short of
19	时间	shíjiān	time

41 问妈妈 Ask mom

A week is a unit of time. What day starts the week, Sunday or Monday? In China, the week starts on Monday.

mā ma mā ma wǒ wèn nǐ
妈妈，妈妈，我问你：

jīn tiān dào dǐ shì xīng qī jǐ
今天到底是星期几？

xīng qī yī wǒ yào chī jī
星期一，我要吃鸡。

xīng qī èr wǒ yào chī dàn
星期二，我要吃蛋。

xīng qī sān wǒ yào chī yú
星期三，我要吃鱼。

xīng qī sì wǒ yào chī miàn
星期四，我要吃面。

xīng qī wǔ wǒ yào chī táng
星期五，我要吃糖。

xīng qī liù wǒ bù qǐ chuáng
星期六，我不起床。

xīng qī tiān gěi wǒ líng huā qián
星期天，给我零花钱。

mā ma mā ma wǒ wèn nǐ jīn tiān dào dǐ shì xīng qī jǐ
妈妈，妈妈，我问你：今天到底是星期几？

Key words

1	今天	jīntiān	today
2	到底	dàodǐ	after all; indeed
3	星期一	xīngqīyī	Monday
4	星期二	xīngqī'èr	Tuesday
5	蛋	dàn	egg
6	星期三	xīngqīsān	Wednesday
7	星期四	xīngqīsì	Thursday
8	面	miàn	noodles; flour; face; side
9	星期五	xīngqīwǔ	Friday
10	糖	táng	candy
11	星期六	xīngqīliù	Saturday
12	起床	qǐchuáng	to get up
13	星期天	xīngqītiān	Sunday
14	给	gěi	to give; for; to
15	零花钱	línghuāqián	allowance; pocket money
16	昨天	zuótiān	yesterday
17	周一	zhōuyī	Monday
18	周末	zhōumò	weekend
19	每	měi	every

42 问爸爸 Ask dad

A week is a unit of time. What day starts the week, Sunday or Monday? In China, the week starts on Monday.

bà ba bà ba wǒ wèn nǐ
爸爸，爸爸，我问你：

jīn tiān dào dǐ shì xīng qī jǐ
今天到底是星期几？

xīng qī yī wǒ qù lù yíng
星期一，我去露营。

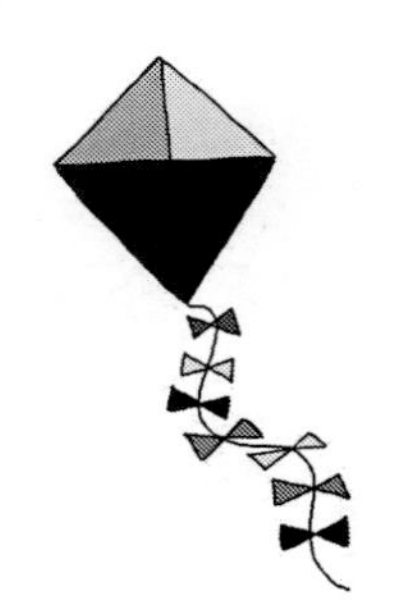

xīng qī èr wǒ fàng fēng zheng
星期二，我放风筝。

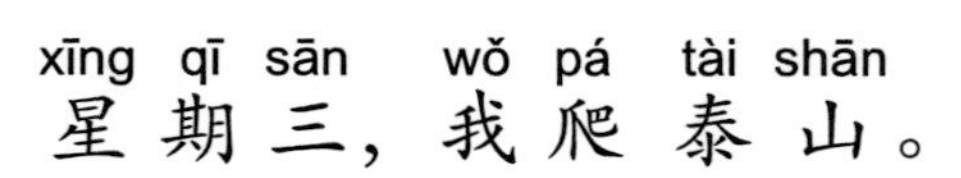

xīng qī sān wǒ pá tài shān
星期三，我爬泰山。

xīng qī sì wǒ kàn zá jì
星期四，我看杂技。

xīng qī wǔ wǒ qiāo hóng gǔ
星期五，我敲红鼓。

xīng qī liù wǒ tī zú qiú
星期六，我踢足球。

xīng qī tiān wǒ shuì lǎn jiào
星期天，我睡懒觉。

xiǎng zuò shén me wǒ bù zhī dào
想做什么我不知道。

bà ba bà ba wǒ wèn nǐ jīn tiān dào dǐ shì xīng qī jǐ
爸爸，爸爸，我问你：今天到底是星期几？

Key words

1	今天	jīntiān	today
2	到底	dàodǐ	after all; indeed
3	星期几	xīngqījǐ	What day is today?
4	去	qù	to go to
5	露营	lùyíng	camping
6	放	fàng	to fly; to place; to let go of
7	风筝	fēngzheng	kite
8	爬	pá	to climb
9	泰山	tàishān	Mountain Tai
10	杂技	zájì	acrobat; acrobat show
11	敲	qiāo	to hit; to strike
12	鼓	gŭ	drum
13	睡	shuì	to sleep
14	懒觉	lănjiào	lazy nap; to sleep till noon
15	还	hái	still; in addition to; also
16	昨天	zuótiān	yesterday
17	前天	qiántiān	the day before yesterday
18	周末	zhōumò	weekend
19	每	měi	every

43 星期一 It's Monday

jīn tiān shì xīng qī yī xīng qī yī
今天是星期一。Monday，星期一。

jīn tiān shì xīng qī yī wǒ men chī kǎo jī
今天是星期一，我们吃烤鸡。

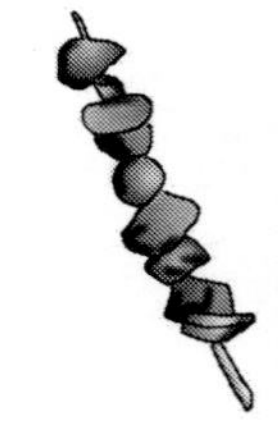

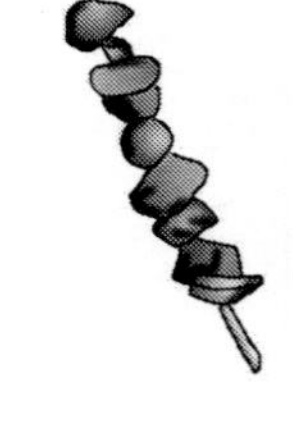

jīn tiān shì xīng qī èr xīng qī èr
今天是星期二。Tuesday，星期二。

jīn tiān shì xīng qī èr mā zuò yáng ròu chuàn er
今天是星期二，妈做羊肉串儿。

jīn tiān shì xīng qī sān xīng qī sān
今天是星期三。Wednesday，星期三。

jīn tiān shì xīng qī sān bà ba kǎo bǐng gān
今天是星期三，爸爸烤饼干。

jīn tiān shì xīng qī sì xīng qī sì
今天是星期四。Thursday，星期四。

jīn tiān shì xīng qī sì wǒ men kàn zá jì
今天是星期四，我们看杂技。

jīn tiān shì xīng qī wǔ xīng qī wǔ
今天是星期五。Friday，星期五。

jīn tiān shì xīng qī wǔ wǒ men qù tiào wǔ
今天是星期五，我们去跳舞。

jīn tiān shì xīng qī liù xīng qī liù
今天是星期六。Saturday，星期六。

jīn tiān shì xīng qī liù wǒ men qù tī qiú
今天是星期六，我们去踢球。

jīn tiān shì xīng qī tiān xīng qī tiān
今天是星期天。Sunday，星期天。

jīn tiān shì xīng qī tiān bà mā bú shàng bān
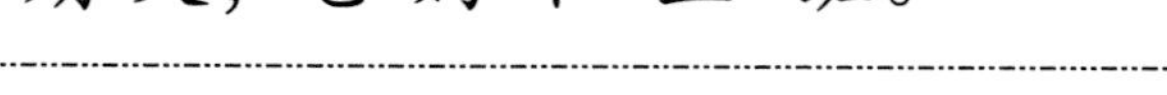
今天是星期天，爸妈不上班。

Key words

1	羊肉串	yángròuchuàn	goat meat kebab
2	饼干	bǐnggān	cookies
3	看	kàn	to watch; to read; to see; to visit
4	杂技	zájì	acrobat show
5	跳舞	tiàowǔ	to dance
6	上班	shàngbān	to go to work
7	周一	zhōuyī	Monday
8	周二	zhōu'èr	Tuesday
9	周三	zhōusān	Wednesday
10	周四	zhōusì	Thursday
11	周五	zhōuwǔ	Friday
12	周六	zhōuliù	Saturday
13	周日	zhōurì	Sunday
14	周末	zhōumò	weekend
15	一周	yìzhōu	one week
16	每周	měizhōu	every week
17	下班	xiàbān	off work
18	上	shàng	last (week, month, weekend)
19	下	xià	next (week, month, weekend)

44 月份 12 months

China uses both the solar and lunar calendars, and celebrates holidays based on the lunar calendar. China uses one time zone and is 12 hours ahead of the Eastern time in the States.

chūn tiān xià tiān qiū tiān dōng tiān
春天，夏天，秋天，冬天。

春天，夏天，秋天，冬天。

yī yuè èr yuè sān yuè
一月，二月，三月，

zán men huá bīng huá xuě
咱们滑冰滑雪。

sì yuè wǔ yuè liù yuè
四月，五月，六月，

zán men qí chē shàng xué
咱们骑车上学。

qī yuè bā yuè jiǔ yuè
七月，八月，九月，

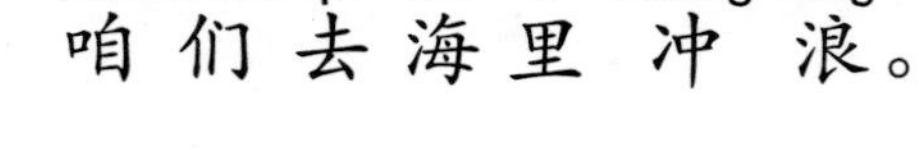

zán men qù hǎi lǐ chōng làng
咱们去海里冲浪。

shí yuè shí yī yuè shí èr yuè
十月，十一月，十二月，

jiā jiā máng zhe guò jié
家家忙着过节。

chūn tiān xià tiān qiū tiān dōng tiān
春天，夏天，秋天，冬天。

春天，夏天，秋天，冬天。

Key words

1	春天	chūntiān	spring
2	夏天	xiàtiān	summer
3	秋天	qiūtiān	fall
4	冬天	dōngtiān	winter
5	一月	yīyuè	January
6	咱们	zánmen	we; us
7	滑冰	huábīng	to skate
8	滑雪	huáxuě	to ski
9	骑车	qíchē	to ride a bike
10	上学	shàngxué	to go to school
11	海	hǎi	sea
12	冲浪	chōnglàng	to surf
13	忙	máng	busy
14	着	zhe	A particle used after a adjective or verb to indicate a continued action.
15	过节	guòjié	to celebrate a holiday
16	季节	jìjié	season
17	春节	chūnjié	Chinese New Year
18	感恩节	gǎn'ēnjié	Thanksgiving
19	圣诞节	shèngdànjié	Christmas

45　四季　Four seasons

chūn tiān shù yè lǜ la
春天树叶绿啦，

chūn tiān huā er kāi la
春天花儿开啦。

wǒ hé péng yǒu yì qǐ
我和朋友一起，

qí chē qù shàng xué la
骑车去上学啦。

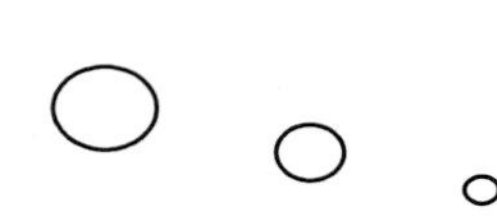

xià tiān tiān qì rè la
夏天天气热啦，

xià tiān bú shàng xué la
夏天不上学啦。

wǒ hé péng yǒu yì qǐ
我和朋友一起，

huá chuán qù diào yú la
划船去钓鱼啦。

qiū tiān shù yè huáng la
秋天树叶黄啦，

xué xiào yòu kāi xué la
学校又开学啦。

wǒ hé péng yǒu yì qǐ
我和朋友一起，

xué shuō zhōng guó huà la
学说中国话啦。

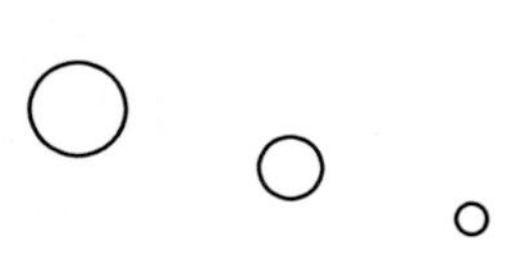

dōng tiān xià dà xuě la
冬天下大雪啦，

dà dì dōu biàn bái la
大地都变白啦。

wǒ hé péng yǒu yì qǐ
我和朋友一起，

duī gè dà xuě rén la
堆个大雪人啦。

Key words

1	四季	sìjì	four seasons
2	春天	chūntiān	spring
3	树叶	shùyè	tree leaves
4	开	kāi	to open; to be in blossom
5	夏天	xiàtiān	summer
6	天气	tiānqì	weather
7	热	rè	hot
8	上学	shàngxué	to go to school
9	划船	huáchuán	to row
10	钓鱼	diàoyú	to go fishing
11	秋天	qiūtiān	fall
12	又	yòu	once again
13	开学	kāixué	School starts.
14	冬天	dōngtiān	winter
15	下雪	xiàxuě	to snow
16	大地	dàdì	Earth
17	变	biàn	to change; to become
18	堆	duī	to build; to make
19	雪人	xuěrén	snowman

46 春天 Spring

Spring is a wonderful time of the year. All kinds of Life spring into being during this warm and sunny season.

chūn fēng chuī lái la shù yè chū lái la
春风吹来啦，树叶出来啦，

xiǎo niǎo kuài lè di chàng zhe gē
小鸟快乐地唱着歌，

chūn tiān lái dào la
春天来到啦！

chūn fēng chuī lái la dà dì biàn lǜ la
春风吹来啦，大地变绿啦，

sōng shǔ kuài lè di zhuī zhe wán er
松鼠快乐地追着玩儿，

chūn tiān lái dào la
春天来到啦！

chūn fēng chuī lái la huā er kāi fàng la
春风吹来啦，花儿开放啦。

hú dié kuài lè di tiào zhe wǔ
蝴蝶快乐地跳着舞，

chūn tiān lái dào la
春天来到啦！

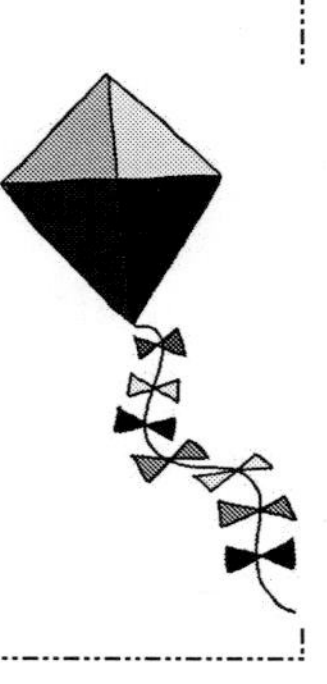

chūn fēng chuī lái la wǒ yòu zhǎng gāo la
春风吹来啦，我又长高啦。

wǒ fàng zhe fēng zhēng dà shēng hǎn
我放着风筝大声喊：

chūn tiān lái dào la
春天来到啦！

Key words

1	春天	chūntiān	spring
2	风	fēng	wind
3	吹	chuī	to blow
4	树叶	shùyè	tree leaves
5	快乐	kuàilè	happy
6	唱歌	chànggē	to sing a song
7	到	dào	to arrive
8	变	biàn	to change; to become
9	松鼠	sōngshǔ	squirrel
10	追	zhuī	to catch
11	玩	wán	to play
12	开放	kāifàng	to bloom; to open
13	蝴蝶	húdié	butterfly
14	跳舞	tiàowǔ	to dance
15	长	zhǎng	to grow
16	放	fàng	to let go of; to put; to place
17	风筝	fēngzheng	kite
18	大声	dàshēng	loud; loudly
19	喊	hǎn	to shout

47 冬天 Winter

dōng tiān lái dào la
冬天来到啦，

shù yè quán diào la
树叶全掉啦。

bái xuě tiān shàng luò xià lái
白雪天上落下来，

dà dì biàn bái la
大地变白啦。

xuě huā bù piāo la
雪花不飘啦，

fēng yě bù guā la
风也不刮啦，

wǒ gēn péng yǒu pǎo chū qù
我跟朋友跑出去，

duī qǐ le xuě rén la
堆起了雪人啦。

xiān zuò gè xuě rén shēn
先做个雪人身，

zài zuò gè xuě rén tóu
再做个雪人头，

fàng shàng yǎn jīng bí zi zuǐ
放上眼睛鼻子嘴，

rán hòu jiā shàng shǒu
然后加上手。

xuě rén shǒu lǐ ná shén me
雪人手里拿什么？

ràng wǒ men xiǎng yī xiǎng
让我们想一想：

ná gè dà cǎi qiú
拿个大彩球！

ná gè dà cǎi qiú
拿个大彩球！

Key words

1	冬天	dōngtiān	winter
2	全	quán	whole; each one
3	掉	diào	to drop
4	大地	dàdì	Earth
5	变	biàn	to change; to become
6	雪花	xuěhuā	snowflake
7	飘	piāo	to float
8	风	fēng	wind
9	刮	guā	to blow
10	堆	duī	to build; to make
11	雪人	xuěrén	snowman
12	先	xiān	first
13	做	zuò	to make
14	身子	shēnzi	body
15	放	fàng	to put; to place; to let go of; to release
16	然后	ránhòu	afterwards; then
17	加	jiā	to add
18	拿	ná	to hold; to take
19	彩球	cǎiqiú	colorful ball or colorful balloon